DAVID KHAYAT
WENDY BOUCHARD
NATHALIE HUTTER-LARDEAU

DES MOTS SUR LES MAUX DU CANCER

MANGO

Le cancer se guérit.
Il se guérit de mieux en mieux. Et pour nombre de ceux qui ne pourront accéder à cette guérison, le cancer s'est transformé en une maladie chronique, compagnon de tous les jours, avec ses traitements, ses rémissions, ses inquiétudes et ses angoisses. Avec ses questions aussi. Celles d'une maladie enfin devenue presque banale.
Que puis-je manger ? Puis-je aller au soleil ? Qu'en est-il de ma sexualité ? De mes droits à une aide ménagère ? Que veut dire ce mot que mon médecin a prononcé devant moi ? Le respect du malade, de son entourage exige que des réponses soient apportées à ces questions légitimes. Il y va de l'humanisation la plus élémentaire.
C'est dans cet esprit qu'avec Nathalie Hutter-Lardeau et Wendy Bouchard, nous avons décidé de concevoir ce livre. Et c'est avec l'espoir qu'il répondra à vos attentes que nous l'avons réalisé.
Parce qu'en respectant l'homme ou la femme derrière la maladie, nous l'aidons à retrouver sa dignité, à croire en son destin et ainsi, à vivre pleinement sa Vie.

David Khayat

Sommaire

Activité physique

Incontestablement, le cancer transforme la vie et les envies. On travaille moins, on mange différemment, on se fatigue plus vite. Et pourtant, tous les soignants le disent : il faut s'efforcer de vivre avec son cancer, faire ce que l'on faisait « avant », en adaptant son rythme, sans aller au bout de ses forces.

6

En effet, les études le prouvent, une activité physique même modérée a une influence très positive, non seulement sur le moral mais également sur la fatigue et l'anxiété. Il ne s'agit pas de vous transformer en athlète de haut niveau, mais simplement de maintenir l'activité la plus proche de vos habitudes. Dans tous les cas, pour éviter les sports contre-indiqués, vous demanderez conseil à votre médecin ou à votre kinésithérapeute.

« Je n'ai pas l'habitude de faire du sport. »

L'essentiel est de bouger un peu chaque jour, ce qui n'implique pas nécessairement la pratique d'une activité physique. De nombreuses activités quotidiennes peuvent vous aider à rester en forme comme le jardinage, le ménage, aller faire vos courses à pied ou à vélo...

La règle d'or pour reprendre une activité de remise en forme est de commencer calmement.

En ce qui concerne le sport, il ne faut pas vous forcer mais privilégier des activités « douces » et accessibles comme la marche à pied, le vélo, le yoga, la natation ou l'aquagym. Vous pourrez les pratiquer en solitaire ou, mieux, avec l'un de vos proches (enfants, amis, petits-enfants), car il est toujours plus facile de s'entraîner mutuellement !

Reprendre une activité physique après un cancer du sein

Il faut être prudent et reprendre le sport doucement.
Le sport est recommandé après l'opération du sein, mais il vous faut respecter quelques consignes : évitez notamment les mouvements trop brusques et les gestes répétitifs qui vont solliciter les muscles du bras du côté opéré.
Dans tous les cas, après cicatrisation, la marche est le sport le plus recommandé. La natation est également bénéfique où vous ferez d'abord des longueurs à la brasse, avant de vous remettre au crawl.
De plus, évitez de porter des vêtements serrés qui peuvent augmenter les gonflements.

N'oubliez pas la kinésithérapie. En général, des séances de kiné vous sont prescrites après l'opération. Ce sera, pour vous, le meilleur moyen de vous rasséréner avant de reprendre un sport en particulier.
Le kiné vous fera faire notamment quelques gestes pour assouplir les épaules. Tous les autres exercices pour muscler ne sont, a priori, pas utiles. Votre kinésithérapeute pourra enfin pratiquer quelques séances de drainage lymphatique pour amincir vos bras en cas d'excès de lymphe.

« Comment soulager un gonflement des bras après un curage ganglionnaire ? »
Dans le cas d'un lymphœdème, l'excès de lymphe ne parvient plus à être évacué par les vaisseaux. La chaleur, notamment, peut faire gonfler vos bras. S'ils vous paraissent lourds, vous pourrez soulager la gêne en les entourant d'un linge humide ou en utilisant une crème rafraîchissante que vous trouverez en pharmacie.
Il faudra bien vous hydrater la peau, porter des habits assez larges et multiplier les exercices de flexion et d'extension pour faire circuler la lymphe dans le sang.

« Peut-on faire du sport avec une prothèse mammaire ? »
Oui, avec un soutien-gorge bien adapté qui maintiendra correctement la prothèse et vous soulagera de son poids. Certaines prothèses sont même

allégées pour faciliter la pratique d'un sport. Évidemment, il est conseillé d'éviter pendant un temps les sports trop violents qui font travailler le buste, les épaules et la poitrine, comme le tennis et le golf. En revanche, la plupart des prothèses sont bien adaptées pour pratiquer la gymnastique ou la natation. Si vous voulez vous mettre ou vous remettre au tennis ou au jogging, choisissez des prothèses adhésives avec un support qui adhère bien à la peau.
Attention aux chocs ! Les prothèses restent, malgré tout, assez fragiles et il faut les préserver en évitant des sports où les chutes peuvent être violentes, comme le ski.

« Peut-on faire du sport après une reconstruction mammaire ? »
Oui, mais il faut en général attendre un mois après l'opération avant de reprendre une activité sportive. Ce délai est fondamental pour les sports comme la gym, la natation ou le tennis qui font travailler les pectoraux.

« Peut-on faire du sport avec une perruque ? »
Oui, les perruques actuelles tiennent généralement très bien. Toutefois, si vous pratiquez la natation, vous ne porterez, bien sûr, qu'un bonnet de bain pour éviter que l'eau ne s'infiltre sous la base et déplace la perruque.

Ne perdez jamais de vue que la règle d'or pour reprendre une activité de remise en forme est de commencer calmement, en prenant conscience de vos faiblesses et de vos douleurs éventuelles. Il va de soi qu'un sport trop violent, comme le squash ou l'aérobic, n'est pas adapté, au début en tout cas.

« Je n'aime pas sortir de chez moi. »

À la maison, des petits exercices simples et réguliers vous revigoreront, car il faut éviter de rester immobile.

Même si vous êtes très fatigué par les traitements, il y a toujours des petits mouvements que vous pouvez répéter plusieurs fois par jour. Vous sentirez combien ils sont bénéfiques à votre système immunitaire.

Les scientifiques ont prouvé l'influence bénéfique du yoga chez les patientes traitées par radiothérapie.

Pour tonifier les bras et le buste, rien de tel que les jeux de « balle ». Prenez les fameuses boules de santé Qi Gong : en les faisant tourner dans la main, elles vont stimuler les terminaisons nerveuses et vos zones réflexes. Ces boules en émail vont harmoniser l'énergie vitale de votre corps et provoquer chez vous une sensation de bien-être. Petit plus : leur joli tintement vous aidera à lutter contre le stress. L'exercice est aussi très efficace avec de simples balles de tennis qui vont muscler les bras et les avant-bras.
Enfin, pour le bas du corps, notez que les ronds de pieds sont très bénéfiques (mêmes mouvements de rotation en utilisant des balles mais avec les pieds).
N'hésitez pas à prendre contact avec un kinésithérapeute qui pourra vous indiquer les mouvements adaptés à votre cas. N'oubliez tout de même pas de prendre l'air : sur votre balcon, à la fenêtre, dans votre jardin.

« Je ne sais pas comment commencer. »

Vous pouvez tout à fait travailler chez vous, mais « accompagné » par un coach diplômé d'État, qui pourra élaborer

« sur mesure » un programme de remise en forme tout au long de votre traitement. C'est à la fois plus constructif et plus stimulant de faire de l'exercice et de réinvestir son corps avec un professionnel, énergique et bienveillant. La plupart des coachs sportifs vous suivront d'ailleurs en cours de gym, à domicile ou même à l'hôpital (35 à 40 euros de l'heure en moyenne).
Il existe également des centres de remise en forme collectifs, beaucoup moins chers et tout aussi efficaces.
En complément, un kinésithérapeute pourra vous indiquer des exercices adaptés et simples à mettre en place.

« J'ai envie de me changer les idées, mais je ne sais pas quelle activité choisir. »

Le mieux est de conserver l'activité que vous aviez avant votre maladie. Il sera peut-être nécessaire d'adapter votre pratique aux rythmes de vos traitements et à votre fatigue.
Sinon, rien ne vous empêche de découvrir une nouvelle activité. N'hésitez pas pour cela à demander conseil à votre médecin et renseignez-vous auprès des clubs proches de votre domicile. Il est toujours plus motivant de partager ces moments avec des membres de votre famille ou des amis. Pourquoi ne pas découvrir des activités moins conventionnelles qui peuvent également vous aider à maîtriser votre anxiété : yoga, Qi Gong… ?

C'est à la fois plus constructif et plus stimulant de faire de l'exercice et de réinvestir son corps.

Le témoignage de Véronique

À deux, elles ont inventé « l'énergie beauté » dans les années 1980 et elles nous donnent aujourd'hui des clés pour retrouver le goût de l'exercice et l'envie d'être bien dans sa peau.

Pendant une heure, chacun oublie ses soucis et partage dans la musique une tonicité réparatrice.

« La plupart des gens viennent à mes cours pour l'ambiance et la joie de vivre qu'ils y trouvent. C'est vrai que pendant une heure, chacun oublie ses soucis et partage dans la musique une tonicité réparatrice. Les corps se détendent, les têtes se tiennent droites, les poitrines se gonflent.

C'est un bonheur pour moi de voir de nouveaux inscrits me dire à la fin des cours : "Je ne suis pas très bien en ce moment, mais j'ai pris tellement de plaisir à partager ce moment avec vous."

J'ai envie de dire à tous les malades aujourd'hui, grâce aux belles histoires et parfois aux miracles que j'ai pu vivre, l'importance de l'exercice sur le moral et la guérison.

Je crois dur comme fer que tout est possible.

Je crois dur comme fer que tout est possible. » (Véronique de Villèle.)

Liens utiles

– **Recherche de coaching sportif :** www.kelprof.com. Demandez un professeur diplômé.
– www.inpes.sante.fr
– **Recherche d'une salle de sports :** www.masalledes-port.com ou renseignez-vous auprès des grands centres (Vit'halles, Moving, Club Med) ou des salles de remise en forme de quartier. La plupart des salles de sports vous indiqueront les tarifs de leur coach diplômé.

Des cours de Qi Gong sont proposés aujourd'hui dans la plupart des salles de sports.
Renseignements également auprès de l'Union des associations de Qi Gong traditionnel (président : Jean-Claude Ferrand. 01 39 18 09 15).

Pour découvrir les vertus de cette discipline :
– Jean-Paul Dutrey, *Rugissement du tigre face au cancer. Guérir par le Zen, l'arbre et le Qi Gong*, préface de Jian Liujun, Paris, Guibert, 2007.

– DVD : *Les 18 exercices du Tai Ji Qi Gong*, CGB medias.

– Davina Delor, *Le Yoga des paresseuses*, Paris, Marabout, 2007.

Vous allez devoir faire un bout de chemin avec la maladie, et votre médecin vous préviendra : les traitements sont longs, lourds et ils affectent parfois profondément les personnes les plus âgées qui perdront un peu de leur autonomie. Mais au gré de ce parcours éprouvant, vous bénéficierez de certaines aides morales, matérielles ou financières.

Le retour à domicile, par exemple, nécessitera un aiguillage bienveillant de la part de votre entourage mais aussi du personnel soignant…

Les différents types de prestation

Le service d'aide à la personne est géré par différents organismes tels que des associations agréées (loi 1901), les Centres communaux d'action sociale (CCAS, service public territorial), des mutuelles… Sachez qu'un service social est en général présent au sein de la structure où vous avez été hospitalisé et qu'il peut vous aiguiller et vous accompagner pour vos démarches. Toutes ces prestations évidemment ont un coût qui dépendra de l'âge mais aussi de la situation familiale et des revenus.
Plusieurs organismes vont participer financièrement à votre prise en charge (Caisse d'allocations familiales, caisses de retraite, mutuelles – renseignez-vous aussi auprès de votre comité d'entreprise). Les associations d'entraide et de soutien aux malades jouent ici un rôle essentiel : elles peuvent vous aider à accomplir les démarches auprès de tous ces organismes.

L'aide à domicile

Vous aurez sans doute besoin d'un coup de pouce lors de votre retour à la maison. Vous y avez droit, alors n'hésitez pas à vous ménager, ainsi que votre entourage, en choisissant une aide à domicile. Vous pourrez ainsi vous

reposer et reprendre des forces tout en vous économisant lors des tâches de la vie quotidienne.
Le service social du centre de cancérologie sera votre interlocuteur privilégié pour mettre en place un accompagnement. Mais attention ! ne mélangez pas les genres... En aucun cas, l'aide ménagère ne remplace l'infirmier ou autre personnel soignant. Elle a un rôle précis puisqu'elle peut vous aider à faire les courses, le ménage, le repassage, à préparer le repas...

L'aide à domicile est généralement représentée par ce qu'on appelle les « auxiliaires de vie ».
C'est un joli titre et une belle fonction. Les auxiliaires de vie vous aideront, plus ou moins provisoirement, dans tous les gestes de la vie quotidienne, notamment la toilette, l'aide aux repas et l'habillage. Ces femmes et ces hommes à votre service vous apporteront un soutien considérable, physique et moral, et vous redonneront goût à l'autonomie. Sachez que le coût de ces interventions peut être pris en charge par un organisme social.

Tous ces services sont payants, mais vous pouvez faire une demande de financement auprès de la Ligue contre le cancer ou de la Sécurité sociale qui traitera votre dossier après une évaluation sociale de vos droits. Le cas échéant, le montant des aides est variable (maximum : 600 euros) et dépend de vos ressources financières.

La garde à domicile

Elle permet à une personne malade ou à sa famille de

faire face temporairement à une situation difficile (sortie d'hôpital, HAD). La garde à domicile peut donc assurer une présence de jour comme de nuit.

C'est une prestation proposée par la CNAV (Caisse nationale d'assurance vieillesse) mais aussi par d'autres organismes de Sécurité sociale dans le cadre d'une sortie d'hospitalisation pour permettre un retour au domicile en douceur.
Les frais sont à votre charge, mais ils peuvent être déclarés aux impôts au titre des emplois familiaux et ainsi bénéficier d'une réduction d'impôt sur le revenu. C'est un détail important qui vous permettra de mieux appréhender les choses et ainsi de traverser votre parcours de soins, de « convalescence » de manière plus sereine.

La technicienne en intervention sociale et familiale
La TISF intervient en général auprès des familles ayant des enfants à charge et auprès des personnes handicapées. Leur fonction est plus large puisqu'en plus de la gestion des tâches quotidiennes, elles participent à la gestion de l'éducation avec « l'aide à la parentalité » et à la gestion du budget. La CAF et le conseil général (aide sociale à l'enfance) financent ces prestataires d'aide aux familles.

Les aides financières

Le cancer est considéré comme une Affection longue durée (ALD). Ainsi, votre maladie et tous les actes et les médicaments liés au « protocole de soins » (y compris les

médicaments antidouleur) seront pris en charge à 100 % par la Sécurité sociale.
Pour les frais matériels qui ne font pas spécifiquement partie du traitement, comme les perruques ou les prothèses mammaires, le remboursement va se faire sur la base du TIPS (Tarif interministériel des prestations sanitaires). Rappelons ici que pour vous faire rembourser votre perruque, il faudra vous la faire prescrire par le médecin. Elle est prise en charge à hauteur de 125 euros par l'assurance maladie.

Comment obtenir une prise en charge à 100 % ?
1) Demandez à votre médecin de famille qu'il remplisse un formulaire, le PIRES (Protocole inter-régime d'examen spécial) qui mentionne la date à laquelle la maladie a été découverte ainsi que les traitements prévus.

2) Vous adresserez l'imprimé au médecin-conseil de votre Caisse primaire d'assurance maladie.

3) Dans un délai de 30 jours maximum, l'assurance maladie enregistrera votre demande et vous transmettra une nouvelle attestation de vos droits avec mention de la durée d'exonération du ticket modérateur.

Quelle prise en charge en cas d'hospitalisation ?
Les soins en rapport avec votre ALD sont remboursés à 100 %. En revanche, vous paierez un forfait journalier hospitalier qui correspond aux frais d'hébergement et d'entretien sauf si votre mutuelle précise la prise en

charge de ces frais. N'hésitez pas à vous renseigner auprès de votre caisse complémentaire.
Il est dû pour tout séjour supérieur à 24 heures et correspond, à partir du 1er janvier 2007, à un forfait de 16 euros par jour, en hôpital ou en clinique.

Sachez que certains patients en sont exonérés, notamment les personnes dont le cancer a été reconnu comme une maladie professionnelle, mais aussi les malades pris en charge par l'HAD ou les personnes suivies en hôpital de jour.
Le service social de l'établissement pourra vous éclairer sur tous ces éléments.

Quels sont vos interlocuteurs pour une prise en charge sociale et médicale ?
Sociale : la Caisse primaire d'assurance maladie (CPAM) ou votre mutuelle complémentaire ;
le service social du département ou de la région qui peut répondre à vos questions d'ordre matériel.
Médicale : l'assistante hospitalière de votre centre de cancérologie ;
l'assistante sociale de l'HAD ;
l'assistante sociale des services de soins infirmiers à domicile (SSIAD).

Quelles aides si vous avez au moins 60 ans ?
Votre statut de « senior » si vous êtes dépendant et si votre niveau de ressources vous y donne accès, vous permet d'avoir droit à l'APA, « Allocation personnalisée à

l'autonomie ». Votre état et degré de dépendance seront évalués par une équipe médicosociale détachée des instances suivantes. Il faut vous renseigner alors auprès du service social de votre conseil général ou auprès du Centre local d'information et de coordination (CLIC) le plus proche de chez vous.

Sachez également que votre mutuelle peut vous proposer des aides à votre sortie d'hôpital, le plus souvent temporaires (15 jours), comme des aides ménagères, totalement prises en charge.

Guide pratique pour bénéficier de l'APA

Cette allocation doit permettre aux personnes d'au moins 60 ans de financer une aide à domicile. Elle vous sera versée par le conseil général (département).

Composez votre dossier ouvrant droit à l'APA : il doit contenir un certificat médical et vos justificatifs de ressources. Vous pourrez retirer ce dossier à la mairie ou bien auprès du service social de votre quartier. Vous enverrez votre demande en accusé/réception à votre conseil général.

Le montant de l'APA est calculé en fonction de la perte d'autonomie du patient et de ses ressources.
L'APA n'est versée qu'à compter de la notification d'ouverture des droits, et dans l'intervalle, il vous est possible de demander des aides ponctuelles de la Ligue contre le cancer, d'Horizon cancer ou de la Sécurité sociale.

Liens utiles

L'UNA (Union nationale des associations de l'aide, des soins et des services à domicile) est présente partout en France et regroupe des associations, centres communaux d'action sociale... plus d'un millier de services pour les malades, les personnes âgées ou les familles dans le besoin. Ce réseau aide aujourd'hui près de 500 000 personnes à vivre bien chez elles. Et tous les membres de l'Union sont agréés par les services préfectoraux ou conventionnés avec des organismes de Sécurité sociale.
UNA
108-110, rue Saint-Maur, 75011 Paris
Tél. : 01 49 23 82 52

France Domicile
Une autre enseigne nationale agréée par l'État et qui apporte des solutions de qualité pour les services à la personne : entretien de la maison, ménage ou garde d'enfants. France Domicile répond à vos besoins, même en situation d'urgence.
Contactez-la, via Internet : www.francedomicile.fr : « je m'informe, je me forme et je commande en ligne ».
Ou à partir d'un numéro de téléphone : 0 826 27 15 15 (0,15 euro TTC/min.), du lundi au samedi de 8 h à 20 h : vous serez ainsi mis en relation avec des conseillers qui vous renseigneront sur tous les services proposés à la personne.

Le site de l'Urssaf : www.urssaf.fr

Alimentation

On connaît désormais le rôle primordial joué par l'alimentation dans la prévention des cancers. Bien s'alimenter reste tout aussi essentiel quand la maladie est là. En consultation, je pose la question : « Vous mangez bien ? » Mais le patient la perçoit comme une question de routine et ne mesure pas forcément son importance cruciale.

Surveiller son alimentation, c'est la première chose que le patient peut faire pour lui-même. À nous de lui en faire prendre conscience.

Témoignage

« Le cancer, ça modifie tout. Moi, je n'avais plus goût à rien, je ne pouvais même plus cuisiner. Mon mari et les enfants ont pris le relais, mais j'avais du mal à avaler ce qu'ils préparaient. Je grignotais plutôt entre les repas. Des fruits secs, des gâteaux secs, des litres de thé. Un peu n'importe quoi. Je ne pouvais plus voir la viande. Quant aux yaourts, que j'adorais avant, ils me semblaient terriblement acides. Sur le conseil d'une de mes amies, j'ai essayé les entremets. Puis des petites salades composées des légumes qui me faisaient envie sur le moment. Ça s'est arrangé. J'ai cessé de maigrir et les nausées consécutives à la chimio se sont calmées. Je mangeais autrement qu'auparavant, mais je mangeais. J'ai passé un cap. Mes forces sont revenues et j'ai commencé à me battre pour m'en sortir. » (Juliette, 45 ans.)

La nouvelle a déjà de quoi vous couper l'appétit durablement. Quand le traitement provoque des nausées, des problèmes de déglutition ou de mastication, la tentation est grande d'abandonner. La dénutrition s'installe sournoisement. L'alimentation devient alors un problème supplémentaire, alors qu'elle devrait être une véritable alliée de la guérison. Tous les cancers n'obligent pas à prendre des précautions diététiques. Tous le devraient.

Bien manger

Une bonne alimentation – tous les nutritionnistes le disent –, c'est un apport quotidien équilibré en nutriments. Vous comprendrez que bien se nourrir est encore plus important lorsque l'on doit mobiliser toutes les ressources de son organisme pour lutter contre la maladie.

Selon les enquêtes alimentaires menées dans les services d'oncologie, les patients souffrent en moyenne d'un déficit énergétique de 300 à 400 kilocalories/jour. Il faut savoir que l'apport calorique quotidien moyen devrait être d'environ 2 000 kilocalories pour une femme et de 2 600 kilocalories pour un homme.

Bien se nourrir est encore plus important lorsque l'on doit mobiliser toutes les ressources de son organisme pour lutter contre la maladie.

En réalité, le cancer consomme de l'énergie ; il ne s'agit donc pas de diminuer les apports caloriques, mais de continuer à veiller à ce que l'alimentation apporte les nutriments nécessaires au bon fonctionnement quotidien de l'organisme en quantités suffisantes.

Pour bien équilibrer son alimentation, le PNNS (Plan National Nutrition et Santé) a défini une sorte de « règle des 7 » de ce qu'il faut manger chaque jour, à répartir entre les quatre repas : le petit-déjeuner, le déjeuner, le goûter et le dîner.

La règle des 7

• Règle n° 1 : au moins 5 fruits et légumes par jour.
Dans le cadre d'études sur la prévention alimentaire du cancer, les fruits et légumes sont en tête du hit-parade. D'où l'importance de les mettre au menu plusieurs fois par jour pour bénéficier, même un peu tardivement, de leurs effets protecteurs :

– Les choux (choux de Bruxelles, choux chinois, brocolis, choux-fleurs...) apportent des molécules susceptibles d'empêcher les cellules précancéreuses de dégénérer en tumeurs malignes.

– Le lycopène de la tomate stimule le système immunitaire.

– Les fruits rouges (fraise, framboise, myrtille, mûre...) contiennent des polyphénols protecteurs.

– Les fruits et légumes riches en vitamine A sont bien répartis sur toutes les saisons : carotte, citrouille, abricot. C'est un bienfait, car la vitamine A semble avoir le pouvoir d'inhiber la progression de certaines cellules cancéreuses.

– Ail, oignon, échalote, ciboulette et poireau ont aussi des effets antibactériens dont l'action potentiellement anticancérigène est à l'étude.

– Outre les vitamines et les minéraux, les fruits et légumes apportent des fibres, utiles pour faciliter la digestion et bien assimiler les apports nutritionnels du bol alimentaire.

• Règle n° 2 : il faut manger des aliments céréaliers (pain, pâtes, riz...), des pommes de terre ou des légumes secs à chaque repas, en favorisant les céréales complètes. Ces aliments aident à diminuer la sensation de nausée et surtout provoquent une agréable sensation de satiété. Leur consommation est donc un bon moyen d'éviter les grignotages gras, sucrés ou salés entre les repas.

• **Règle n° 3 : du lait ou des laitages 3 fois par jour.** Certains traitements modifient les perceptions du goût et de l'odorat. Si vos yaourts préférés ne vous tentent plus, ne délaissez pas les laitages pour autant. Il y a mille et une façons de les consommer : entremets, gratins, flans, crèmes aux œufs, gâteaux de semoule vous permettront de manger du lait sous une autre forme !

• **Règle n° 4 : de la viande, du poisson ou des œufs, 1 ou 2 fois par jour,** en quantité moindre que l'accompagnement. Du poisson au moins 2 fois par semaine. En effet, le sélénium contenu dans la viande, le poisson et les œufs stimule les défenses immunitaires ; quant au zinc, qui se trouve en particulier dans les fruits de mer, les viandes, les abats et le poisson, il joue un rôle important dans le goût.

Votre organisme a plus que jamais besoin d'un bon apport protéique quotidien pour se défendre. Il est recommandé de limiter les charcuteries, et surtout de consommer des œufs, du poisson et plutôt des viandes blanches que des viandes rouges.

• **Règle n° 5 : des matières grasses de préférence végétales,** en limitant les quantités et les matières grasses saturées (viennoiseries, pâtisseries, charcuteries, beurre, sauces...).

Le rôle protecteur des acides gras dits essentiels de la famille des oméga est désormais bien connu. Il existe sur le marché des huiles qui vous garantissent un bon apport quotidien dans les bonnes proportions d'acides gras essentiels pour 2 cuillerées à soupe d'huile par jour.

À noter que les oméga-3, en particulier, sont présents dans les poissons gras (saumon, thon, hareng, sardine...) et dans certaines huiles comme celles d'olive, de noix et de colza.

• **Règle n° 6 : des produits sucrés en quantité limitée.**
Faites-vous plaisir avec du chocolat si vous en avez envie, des gâteaux ou des céréales raffinées qui pourront vous apporter le petit coup de pouce nécessaire au moral ! Mais n'en abusez pas si vous avez déjà du mal à contrôler votre poids.
• **Règle n° 7 : de l'eau à volonté.**
Il est faux de croire que plus vous buvez, mieux vous éliminez. Buvez normalement, mais régulièrement. Ne laissez pas la soif s'installer : quand vous avez soif, l'organisme souffre déjà. Bien vous hydrater a, de plus, un effet protecteur sur la fonction rénale.
Le thé vert est recommandé pour ses polyphénols, qui ralentissent la croissance des cellules cancéreuses en limitant la formation des vaisseaux sanguins qui les irriguent.

Mettez-vous au parfum !

Les herbes aromatiques – thym, romarin, origan, basilic, menthe – ont l'intéressante propriété, *in vitro*, de favoriser la mort des cellules cancéreuses. La sauge, elle, est un bon antiseptique. Utilisez-les largement au quotidien, en assaisonnement dans tous vos plats, mais aussi en tisanes ! En cas de fatigue, le ginseng peut être un bon tonifiant.

Écoutez-vous !

De quoi avez-vous envie ? Testez et faites-vous plaisir. Vos proches comprendront que vous ayez des exigences, puisque vos goûts changent ou évoluent. Vous ne supportez plus les pommes crues, par exemple ? Eh bien, essayez de les faire cuire en compote. Très souvent, le traitement a des conséquences sur l'appétit. Il provoque des petits désordres intestinaux, des problèmes de mastication et de déglutition, des nausées, ou l'altération du goût et de l'odorat… Mieux vous vous connaîtrez, mieux vous serez à l'écoute de vos besoins, mieux vous maîtriserez ces désagréments qui ne sont pas une fatalité.

Trucs et astuces

• Ayez en réserve le « top 10 » des produits qui font la base de vos envies : glaces, fromage blanc, œufs, fruits frais, abricots et raisins secs, salades… Et puis simplifiez-vous la vie pour vous économiser : vous pouvez très bien faire votre petit marché sur Internet ou choisir vos produits chez vos commerçants habituels et vous les faire livrer.

• Prenez un bon petit-déjeuner bien copieux. On observe que l'appétit des patients est en général plus grand au saut du lit. Profitez-en pour avaler l'essentiel de votre ration quotidienne. Offrez-vous la formule complète : boisson chaude, œufs – brouillés, au plat, à la coque ou en omelette –, fromage ou laitage, jus de fruits frais ou fruit en quartiers, tartines et confitures. Vous serez ainsi armé pour la journée.

• Si des repas complets vous semblent fastidieux, fractionnez-les en petites collations toutes les deux à trois heures. Six collations mangées avec plaisir valent mieux que trois repas incomplets.

• Enrichissez votre alimentation avec des apports en protéines et en énergie. C'est le moment de vous autoriser à ajouter de la crème fraîche, des jaunes d'œufs ou du fromage dans vos recettes. N'hésitez pas non plus à vous offrir des desserts assez riches comme les flans, les crèmes aux œufs, les gâteaux de semoule ou du riz au lait.

• Adaptez librement vos recettes aux difficultés du moment. Si vous avez des problèmes de déglutition, forcez un peu sur les matières grasses (huile, beurre, crème) : elles rendront les préparations plus onctueuses et homogènes.

Questions/Réponses

« Est-ce que je peux manger avant la chimio ? »
Comme pour les sportifs, le mieux est de se préparer quelques heures à l'avance. Pour éviter les nausées, on recommande de manger de 4 à 6 heures avant le traitement par voie intraveineuse.
Bon à savoir, mais pas toujours facile, si l'on a rendez-vous à 9 heures du matin !
Pour les chimio administrées par comprimés, respectez bien les conseils de prise avant, pendant ou après le repas. Et faites un vrai repas, ni trop gras ni trop copieux !

« Qu'est-ce que je peux prendre pour calmer les nausées ? »
Outre les antiémétiques sous forme de suppositoires, comprimés ou ampoules injectables que le médecin vous prescrira, vous pouvez essayer la tisane à la menthe ou au gingembre ou des pastilles de menthe. Le gingembre est un puissant antioxydant et il aurait la vertu de limiter la formation des vaisseaux sanguins qui irriguent les cellules cancéreuses.
Les boissons gazeuses ou de l'eau bien fraîche peuvent également avoir un effet apaisant. Il faut veiller à bien vous réhydrater avec des boissons sucrées (type Coca-Cola®) ou des bouillons salés.

« Après la radiothérapie, j'ai l'impression que je ne peux plus rien avaler. Que faire ? »
Potages, laitages, purées de légumes et œufs brouillés devraient vous permettre de vous alimenter par petites bouchées sans trop souffrir. Les rayons assèchent la bouche. Buvez régulièrement, à très petites gorgées, pour bien vous hydrater. De plus, votre médecin pourra vous prescrire de la salive artificielle.
Le saviez-vous ? Le curcuma est un anti-inflammatoire.

« Comment s'alimenter en cas d'intervention chirurgicale du côlon, de l'œsophage ou de l'estomac ? »
L'absorption d'aliments solides sera difficile durant les premières semaines. Un régime adapté, pauvre en fibres, vous sera prescrit. Il vous faudra l'ajuster en fonction de votre transit intestinal, fractionner les prises alimentaires, faire plusieurs petits repas plutôt qu'un repas normal. Là encore, il s'agira d'être à l'écoute de votre corps et de ses besoins.

« Est-il vrai qu'il faut se mettre à consommer du soja ? »
Les isoflavones du soja sont réputées freiner la croissance des tumeurs œstrogènes dépendantes. Elles bloquent *in vitro* la stimulation des cellules cancéreuses par les hormones sexuelles.
Toutefois, ceci n'a jamais été formellement prouvé chez l'homme. Il ne faut pas en consommer en excès sans avis médical, en raison d'une possibilité d'interaction avec certains traitements.

Alimentaire, mon cher Watson !

Le cancer affaiblit le système immunitaire. Il faut donc faire tout particulièrement attention à l'hygiène et à la sécurité des aliments et prendre toutes les précautions nécessaires :
– bien veiller à ne pas rompre la chaîne du froid pour les surgelés rapportés du supermarché ;
– respecter les dates limites de consommation des aliments inscrites sur les emballages ;
– laver avec soin fruits et légumes avant de les consommer ;
– bien faire cuire les viandes et les poissons ;
– nettoyer régulièrement le réfrigérateur à l'eau de Javel et en surveiller la température, qui doit se situer entre 0 et 4 °C.

Liens utiles

Pour en savoir plus sur la nutrition :
www.mangerbouger.fr

Pour avoir des conseils sur les différents groupes d'aliments :
Les fruits et légumes : www.aprifel.com
Les viandes : www.civ-viande.org
Les produits laitiers : www.cidilait.com
Les huiles : www.lesieur.fr
Pour une touche de plaisir : www.lesucre.com

Pour trouver des conseils proches de chez vous :
Les bornes Monoprix, rubrique Nutrition (www.monoprix.fr)

Pour des conseils en fonction des profils :
sodexoconseil.com

Anti-douleur

Il n'existe pas de douleurs du cancer, car, outre le cas de métastases osseuses, ce n'est pas la tumeur qui fait souffrir, mais bien ses effets sur les tissus de l'organisme. Ce qui est sûr, c'est que vivre avec son cancer ne condamne pas à souffrir moralement et physiquement durant toute la durée du traitement.

Dans neuf cas sur dix, il est même possible de soulager la douleur. Si vous êtes mal, vous devez en parler à votre entourage et à vos médecins. Les équipes soignantes sont à votre écoute et vous soulageront dès que vous le souhaiterez.

Témoignage

« Les grandes douleurs sont muettes. » (Sénèque.)

« On dit qu'il faut souffrir pour être belle. Moi, je pensais qu'il fallait souffrir pour guérir. Je serrais les dents et je me trouvais héroïque. Jusqu'au jour où un interne m'a demandé d'évaluer à quel point c'était douloureux sur une échelle de 1 à 10. Et là, j'ai réalisé que j'étais plutôt à 8 ou 9. Que c'était presque insupportable. Il m'a expliqué que souffrir ne servait à rien et que je ne tiendrais pas la distance si je m'infligeais ça. Puis il m'a donné ce qu'il fallait pour me soulager. Dès que la douleur a disparu, le moral est remonté. » (Julia, 38 ans.)

La douleur, c'est la souffrance du corps. Dans le cancer comme ailleurs, elle est inacceptable. Elle n'a jamais lieu d'être, n'est jamais légitime. Il faut rompre avec la vieille mythologie de la rédemption par la douleur.

Quelle que soit la nature de la douleur, il existe toujours des moyens, médicamenteux ou autres, de calmer ou de faire disparaître la douleur. Parce qu'il n'y a aucun intérêt à laisser souffrir le malade. Parce que quelqu'un qui ne souffre pas supportera mieux les traitements qui amélioreront son cancer.

En même temps, la douleur est aussi un symptôme. En ce sens, on ne peut pas imaginer qu'elle ne soit plus là du tout. C'est un signal d'alerte qui indique que le cancer est en train de faire mal quelque part dans le corps. Simplement, une fois que le signal est donné, il est inutile de laisser la douleur se prolonger.

Les causes de la douleur

Si le cancer est une cause directe de la douleur dans le cas de métastases osseuses, il existe trois autres origines du mal :
– les complications du cancer lorsqu'une métastase vient causer une fracture ou comprimer un nerf ;
– les gestes thérapeutiques : biopsie ou fibroscopie, par exemple ;
– les effets secondaires du traitement : si le malade guérit, c'est parfois au prix de douleurs chroniques héritées notamment de la radiothérapie (douleur dans l'intestin, dans l'œsophage, dans la bouche).
Cependant, il existe toujours des moyens de soulager la douleur dont vous n'avez pas le droit de vous priver…

Savoir expliquer sa douleur

Évidemment, tous les cancers ne sont pas douloureux, mais si la souffrance s'installe au quotidien et devient invalidante, vous devrez vous en débarrasser. Or, pour traiter la douleur, il faut toujours commencer par l'évaluer. Vous apprendrez donc à la décrire à votre médecin.

• Montrez-lui la partie douloureuse.
• Décrivez le type de douleur : tension, picotement, brûlure, pesanteur.
• Définissez son intensité en utilisant l'échelle EVA (Échelle visuelle analogique) : forte, très forte, insupportable.

L'échelle EVA

0 ———————————————————— 10

Absence de douleur — Douleur maximale

Vous évaluerez votre douleur en déplaçant le doigt sur l'échelle EVA, de 0 à 10, du moins fort au plus insupportable.
• Décrivez la manière dont la douleur varie ou a varié au cours des dernières semaines et dans la journée.
• Tentez de déterminer les facteurs déclenchants : position assise, couchée, marche, douche…
Une fois que vous aurez bien défini votre douleur, les équipes soignantes pourront mieux vous soulager.

Les antalgiques

Il existe plusieurs médicaments antalgiques dont les doses et la fréquence d'administration dépendront de l'évaluation de votre douleur. L'Organisation mondiale de la santé (OMS) les classe en trois niveaux selon leur puissance d'action.

– **Douleur supportable :** les antalgiques – aspirine ou paracétamol (type Dafalgan®).

– **Douleur forte ou très forte :** les opiacés (1) faibles (codéine et dérivés), des anti-inflammatoires (2) monté-roïdiens (Type Ponstan®, Brufen®), les corticoïdes (3), les antispasmodiques.

– **Douleur insupportable :** les morphiniques forts [morphine (4)].

Dans certains cas, d'autres traitements peuvent être associés comme des antidépresseurs pour optimiser l'effet des antalgiques.
En outre, d'autres traitements sont utilisés pour soulager la douleur : la chimiothérapie ou l'hormonothérapie pour réduire une tumeur ; la chirurgie, dans les cas où elle consiste à stabiliser un os fragilisé par une métastase ou en décomprimant un nerf, par exemple ; la radiothérapie sur certaines métastases osseuses ; les massages ou l'acupuncture.

1. Au début du traitement antidouleur, certains opiacés peuvent provoquer des nausées ou des vomissements. Vous signalerez ces effets à votre médecin, qui vous prescrira alors un antivomitif.

2. Certains anti-inflammatoires peuvent provoquer des troubles gastriques. Pour atténuer ces effets, ne prenez jamais ces médicaments à jeun, mais avec un grand verre d'eau pendant ou après le repas, ou associés à des médicaments protecteurs gastriques (type omeprazole).

3. La prise de corticoïdes peut entraîner une certaine constipation. Veillez donc à manger des aliments riches en fibres et surtout à bien boire entre les repas.

4. La morphine n'a pas toujours bonne presse aux yeux du public, qui craint la dépendance ou redoute le soulagement de fin de vie. Pourtant, ces médicaments ont vu leur mode d'administration évoluer : on les trouve désormais en gélules, gels, sucettes, patchs ou sprays. Sachez, par ailleurs, que la morphine peut entraîner plusieurs effets secondaires : constipation, nausées, somnolence.

Si les antalgiques seuls ne fonctionnent pas, ne vous inquiétez pas, ce n'est pas une fatalité. N'ayez pas peur d'insister auprès de votre médecin : des solutions existent pour chacun, et il pourra, si nécessaire, vous orienter vers des centres antidouleur.

Associations

Dans les moments difficiles, vous n'aurez pas toujours envie de partager vos doutes et votre désarroi avec ceux qui vous entourent. C'est une question de pudeur autant que de générosité, et il n'est pas rare d'entendre les patients se confondre en excuses auprès de leurs amis en disant : « Pardon de vous faire subir tout ça. »
Et pourtant, il est nécessaire de ne pas s'enferrer dans la maladie et d'exprimer ses états d'âme.

Auprès des associations spécialisées, vous trouverez une nouvelle source d'échanges et de partages, à la fois concernée et anonyme, qui vous fera le plus grand bien.
Vous avez besoin de réconfort ? Vous ne savez pas quelles sont les prestations auxquelles vous avez droit ? Vous voulez accomplir un rêve ? Des dizaines d'associations en France sont là pour vous prendre par la main, vous écouter, vous appuyer et, au fond, vous rendre la vie plus belle.

Comment trouver une association ?

La plupart des associations dites « d'utilité publique » ont un siège national et des fédérations départementales et locales. Elles financent en général la recherche, multiplient les campagnes de prévention et entretiennent un réseau d'aide aux malades. Elles ont pour vocation de rompre l'isolement des patients, et c'est ainsi qu'elles pourront vous accueillir et vous aider dans vos questionnements en mettant également à votre disposition des services d'écoute par téléphone ou sur Internet.
Pour retrouver les associations présentes dans votre département, il suffit de consulter le site de l'INCA (Institut National du CAncer) qui fournit la liste détaillée des associations classées par départements et également par ordre alphabétique.

www.e-cancer.fr : espace INCA, rubrique partenaires et associations.

Les services d'aide et d'écoute par téléphone ou sur Internet

Cancer Info Service : 0 810 810 821 (coût d'un appel local). Il s'agit d'un numéro national d'information et d'écoute sur le cancer. Les appels sont anonymes et ouverts à tous de 8 h à 20 h, du lundi au samedi.

Allô-Cancer : 01 45 59 59 59 (anonyme).

Il est nécessaire de ne pas s'enferrer dans la maladie et d'exprimer ses états d'âme.

ARC : Association de Recherche sur le Cancer
9, rue Guy-Môquet, 94800 Villejuif
www.arc.asso.fr

Tribu cancer : cette association a notamment pour vocation d'aider à l'intégration ou la réintégration professionnelle du malade. Il existe plusieurs services :
- **Le mail de nuit** (de 21 h à minuit), car la solitude est souvent plus présente à la nuit tombée. Cette permanence web est assurée par des étudiants en psychologie ou des psychologues qui répondront à vos préoccupations.
- **Les groupes de parole :** 09 50 32 80 80. Ils se réunissent un jour de la semaine ; c'est l'occasion de vous retrouver pour échanger vos expériences respectives.

112, boulevard de Rochechouart, 75018 Paris
Tél. : 01 46 12 90 18
www.tribucancer.org

APOGEE : une association d'aide psychologique aux patients en oncologie pour guérison et études.
Tél. : 03 44 47 60 00

Psychisme et cancer : cette association est un centre d'accueil et d'écoute pour les malades atteints du cancer et leurs proches. Psychisme et cancer propose un accueil téléphonique, des rencontres avec d'anciens malades qui témoigneront de leur expérience et des consultations avec des psychothérapeutes-psychanalystes.
Tél. : 01 43 13 23 30
www.psychisme-et-cancer.org

Les associations généralistes

Association pour la recherche contre le cancer : une association pleine de conseils pratiques pour les patients, en particulier toute la partie qui concerne les « droits » des malades.
www.arc.asso.fr

La Ligue nationale contre le cancer : ses structures départementales vous proposent un service d'écoute et des échanges téléphoniques, en général gratuitement. Son site Internet vous permet aussi de télécharger l'ensemble des brochures qu'elle édite et de vous abonner à une lettre d'information. Vous pourrez enfin obtenir auprès

de la ligue les coordonnées du comité départemental le plus proche de chez vous.
14, rue Corvisart, 75013 Paris
Tél. : 01 53 55 24 00
www.ligue-cancer.net

AVEC : Association pour la Vie l'Espoir contre le Cancer. Cette association soutient la recherche contre le cancer et l'humanisation des conditions d'accueil et de traitement des patients atteints de cancer dans le service d'oncologie médicale de La Piété-Salpêtrière.
47, boulevard de l'Hôpital, 75013 Paris
Tél. : 01 42 16 04 76

Les associations spécialisées

Cancer du sein

Les plus efficaces, les mieux structurées et aussi les plus fréquentées.

– **« Étincelle » :** il s'agit d'un espace privé d'accueil et de bien-être destiné aux femmes atteintes d'un cancer du sein. Basé à Issy-les-Moulineaux (Hauts-de-Seine), il propose des soins esthétiques ou de relaxation.
27 bis, avenue Victor-Cresson, 92130
Issy-les-Moulineaux
Tél. : 01 55 95 70 33
www.etincelle.asso.fr

– **« Essentielles » :** un site d'échange pour les femmes atteintes d'un cancer du sein.
www.essentielles.net

– « **Vivre comme avant** » **:** ce mouvement d'aide morale est animé par des femmes bénévoles qui ont toutes vécu l'épreuve douloureuse d'un cancer du sein. Toutes ces anciennes patientes vous écouteront et vous encourageront à la force de leurs expériences.
L'association est présente dans une cinquantaine de villes, et la plupart des bénévoles sont disponibles pour aller visiter les nouvelles malades. Elles vous remettront même une prothèse provisoire et vous apporteront une écoute formidable.
14, rue Corvisart, 75013 Paris
Tél. : 01 53 55 25 26

– **Europa Donna-Forum France :** cette association à dimension européenne organise régulièrement des réunions d'information pour les malades.
Son site Internet vous informera dans le détail sur le cancer du sein et les traitements qui y sont associés. Vous pourrez également consulter les brochures de dépistage.
14, rue Corvisart, 75013 Paris
Tél. : 01 53 55 24 00
www.europadonna.fr

Cancer de la prostate

ANAMACAP : c'est une association qui regroupe les patients atteints d'un cancer de la prostate. Vous y comprendrez les détails de la maladie et de sa prise en charge.
17, avenue Poincaré, 57400 Strasbourg
Tél. : 03 87 03 05 34
www.anamacap.fr

Cancer du col de l'utérus

ECCA : association européenne du cancer du col de l'utérus.
68, cours Albert-Thomas, 69008 Lyon
Tél. : 04 78 76 55 88

Autres associations

FNL, Fédération nationale des laryngectomisés
Entraide entre anciens et nouveaux opérés.
Clinique des Deux-Tours : 28, Traverse des Deux-Tours, BP 66, 13382 Marseille Cedex 13
Tél. : 04 91 05 08 25 - Fax : 04 91 05 08 92

Fédération des stomisés de France
76-78, rue Balard, 75015 Paris
Tél. : 01 45 57 40 02 - Fax : 01 45 57 29 26
www.fsf.asso.fr

Associations de jeunes malades

– **Jeunes Solidarité Cancer :** voilà une association à destination des jeunes adultes atteints d'un cancer, avec un site dynamique et coloré !
JSC a mis en place un soutien sur Internet, une série de guides et un forum de rencontres. « On râle, on désespère et on espère. On évacue ses souffrances et ses peurs, on rit beaucoup aussi », dit le forum. Des bénévoles, des professionnels seront là pour vous aider et répondre à vos questions médicales, sociales, juridiques ou financières.

Jeunes Solidarité Cancer organise également un ou deux week-ends par an pour faire connaissance. Ce sont des moments de « vacances » ponctués de randonnées, de détente, où l'association propose aux jeunes guéris ou en cours de traitement de participer à des stages qui leur permettront de se lancer à l'assaut de leur sommet. « Un sommet toujours gagnant ! » Les jeunes peuvent également participer à des cours d'escalade organisés tout au long de l'année – pour se retrouver et, bien sûr, toujours pour progresser.

– **À chacun son Everest :**
Merveilleuse association qui aide les enfants leucémiques à pratiquer la montagne en toute sécurité.
Tél. : 01 55 00 42 38 - www.achacunsoneverest.com.

– **Association Arc-en-Ciel :** grâce à cette association, les enfants malades pourront, lors d'une journée unique qui leur est entièrement dédiée, réaliser le rêve de leur vie. Les enfants peuvent déposer leur demande de rêve sur le site de l'association.
BP 17, 01 420 Seyssel - Tél. : 04 50 56 20 21
www.arc-en-ciel.com

– **Association Petits Princes :** une autre association pour permettre aux enfants gravement malades de réaliser leurs rêves et ainsi leur « fournir une énergie supplémentaire ». L'association accompagne l'enfant et son entourage familial dans la durée, aussi longtemps qu'il en a besoin.
15, rue Sarrette, 75014 Paris - www.petitsprinces.com

Attente

L'attente est l'une des plus insupportables facettes de la maladie. Trop de malades, pas assez de temps. Souvent, d'ailleurs, le patient et le médecin n'y peuvent rien. Alors, on dit qu'il faut prendre son mal en patience. Je ne le crois pas. Loin de se résigner, il faut faire avec. Organiser la résistance, s'entraider, trouver des alliés. S'impatienter comme il faut.

L'attente est une planète à part. Un espace-temps à la fois incompressible et mouvant. Ce moment où, entre les actes, nous apprivoisons le temps. Où la maladie avance ou recule, place ses pions. Où nous trouvons les réponses, ensemble, patient et médecin. En bataillant toujours pour gagner la partie à temps.
Le patient est un impatient chronique. Je le comprends, même si je me dois de ne pas y céder. Face au patient, je me dois aussi d'avoir toutes les patiences.

Témoignage

« J'ai dit à mon médecin que je ne supportais plus les attentes insensées. La dernière fois, j'ai attendu près de onze heures. Onze heures à attendre que quelqu'un veuille bien me faire un examen. Trouvez-vous cela normal ? Je n'ai pas osé râler sur place, car j'ai toujours peur qu'après on me soigne mal. Mes enfants sont venus me rejoindre très tard le soir pour faire bouger les choses dans ce service des urgences, jusqu'à me trouver un lit, pour éviter que je dorme dans le couloir. Il y a encore pas mal à faire sur la prise en charge des malades. Et rien ne vaut d'être bien entouré pour faire entendre un peu ses droits ! » (Jeanine, 77 ans.)

L'attente : un espace-temps différent

Il y a d'abord le diagnostic, puis les phases d'attente s'enchaînent. On attend partout et tout le temps. Dans les couloirs, dans les salles d'attente, entre les rendez-vous, avant les examens, avant l'opération, puis ensuite pour avoir les résultats, les commentaires, les informations. Avec l'impression pénible d'un gaspillage de temps auquel on se heurte tantôt avec incompréhension, tantôt avec révolte ou résignation.

Chaque étape est une nouvelle forme d'attente. Avec son lot d'inquiétudes, d'angoisses, d'incertitudes, mais aussi son poids de questions difficiles à formuler, de pudeurs et de silences, de réponses incomplètes, de peur que la réponse définitive, quand elle viendra, ne soit pas celle que l'on voudrait.

Pour faire passer le temps de l'attente, le seul moyen est de l'organiser, faire de la résistance.

L'attente donne une autre dimension au temps. L'emploi du temps déraille dans le « n'importe quoi ». Plus rien à voir avec les horaires habituels de travail, de bureau ou de vie de famille. Et c'est un combat perdu si l'on part sans munitions. Pour faire passer le temps de l'attente, le seul moyen est de l'organiser, faire de la résistance, marquer son territoire, s'intéresser au paysage, faire des rencontres, s'évader par tous les moyens... Transformer l'attente en voyage.

Un voyage spatiotemporel

Vous pouvez vous armer dès la première salle d'attente avec ce que nous appelons ici un « kit-compagnon » portable où vous emporterez des dérivatifs pour faire passer le temps.

Il faut surtout éviter de contempler les sombres perspectives de la maladie.

C'est pour cela qu'il faut ici, mesdames, rester coquettes et bien mises, comme on dit... Emportez votre trousse de maquillage, redessinez vos lèvres au rouge à lèvres, refaites-vous les ongles avec un vernis adapté, ayez sur vous un petit paquet de lingettes pour vous rafraîchir le teint. Si vous avez mal au dos, n'hésitez pas à embarquer votre coussin fétiche, emprunté au canapé de la maison, pour bien vous caler pendant la chimio... Vous serez « mieux », à défaut d'être « bien ».

Il faut surtout éviter de contempler les sombres perspectives de la maladie.

Savoir s'occuper

Si vous n'êtes pas accompagné par un proche, lors d'attentes de consultation ou de soins en ambulatoire, occupez-vous... Vous ne manquerez pas de trouver de bons dérivatifs : musique, lecture – des journaux aux romans –, jeux, mots croisés... Et puis, n'oubliez pas que les bénévoles des associations sont là pour vous tenir compagnie, vous libérer, parler d'autre chose que de la maladie.

Il est important d'apporter également de quoi se ravitailler : boissons, sandwiches, chocolat, fruits secs... Vous aurez ainsi sous la main le juste nécessaire pour calmer votre énervement et favoriser les rencontres, en partageant !

Vous verrez que, lors des soins ambulatoires, le secret de l'attente est le même que celui des voyages : riche de rencontres potentielles et d'amitiés nouvelles. On oublie que le voisin a mauvaise mine, on oublie que soi-même on perd ses cheveux... On est là pour vivre...
Dès lors, vos « compagnons de route » deviendront des repères importants pour votre guérison. Un challenge peut s'installer : « J'ai repris du poids. – Moi, je me suis racheté une garde-robe ! » La conversation s'engage, et la salle d'attente, d'ordinaire glauque et froide, prend une tout autre allure. Le couloir se réchauffe dans la détente et parfois même dans le rire...

Les pros qui sauvent

Évidemment, lorsque vous êtes trop fatigué par les traitements et que l'attente devient insupportable, n'hésitez jamais à le dire au personnel soignant. Une attente infondée – le témoignage vous le confirme – est un manque de respect envers les patients. Souvent, vos proches seront là pour recadrer les choses, mais si vous devez être seul, ne perdez pas votre dignité et dites les choses avec courtoisie. Parlez au personnel soignant : il est là pour vous aider et vous rendre le traitement le moins pénible possible. Ces équipes sont souvent formidables et efficaces.

Bouche

Les traitements de chimiothérapie et de radiothérapie (en particulier lorsqu'ils sont localisés à la tête et au cou) provoquent parfois des irritations de la bouche et de la gorge, ce qui favorise les aphtes et les infections, et rendent la déglutition douloureuse.
La plupart des patients se plaignent alors de douleurs buccales ainsi que d'une sensation de sécheresse.

Le phénomène de « bouche sèche »

Cette manifestation est le plus souvent irréversible, car elle s'explique par une irradiation des glandes salivaires. Cependant, vous pouvez soulager cette désagréable impression par quelques gestes simples :

• Hydratez-vous souvent et sucez des glaçons, que vous pouvez aromatiser avec un peu de sirop de menthe ou de fraise.

• Respirez plus naturellement par le nez et non par la bouche pour ne pas aggraver la sensation de sécheresse buccale.

• Veillez à votre hygiène dentaire en vous brossant régulièrement les dents (contre les risques de gingivite, qui sont liés) avec un dentifrice au fluor et un rince-bouche fluoré ; de plus, pendant les séances de radiothérapie, l'utilisation d'une gouttière fluorée est très importante pour éviter les caries.

• Placez un humidificateur dans votre chambre à coucher.

Les aphtes ou les mycoses buccales (champignons)

Voilà un autre effet secondaire de la chimiothérapie ou de la radiothérapie : pendant le traitement, les gencives sont fragilisées et le terrain est propice à l'apparition des aphtes. Il faut donc veiller à une bonne hygiène dentaire :

• Faites des bains de bouche après les repas et avant de vous coucher avec un antiseptique efficace (Hextril®, Isobétadine® buccal).

• Lavez-vous les dents avec une brosse ultrasouple et un dentifrice doux (à choisir avec votre pharmacien). Si vous

portez un dentier, il faut le nettoyer régulièrement avec une lotion sans alcool et le retirer avant de s'endormir.
• Évitez enfin les aliments qui risquent de vous irriter comme les épices, le vinaigre, le citron et l'alcool.

Les douleurs à la déglutition

Le conseil le plus simple et le plus évident est alimentaire. Il consiste à préférer des aliments faciles à ingérer : des purées, des soupes, des aliments crémeux, onctueux, mixés ou moulinés. Demandez conseil à un diététicien de votre service ou en consultation privée. Il saura adapter votre menu à votre goût tout en vous évitant les douleurs à la mastication et à la déglutition.

Types d'aliments « doux » pour les douleurs à la déglutition

• Graissez vos plats, en ajoutant régulièrement une cuillerée de crème fraîche, de mayonnaise, de beurre, pour vous permettre d'avaler les aliments plus facilement.
• Privilégiez les laitages, les fromages et tous les compléments alimentaires, de préférence « liquides ».
• Oubliez les aliments « tranchants » comme les pommes, les croûtes de pain, les sandwiches, qui blessent le palais et la muqueuse buccale.
• Supprimez également les aliments trop acides (vinaigre, jus de fruits, citron, tomate, cornichon, alcool) qui attaquent aussi la bouche.
• Soyez modéré sur le sel, le sucre et les épices qui peuvent provoquer des irritations.

Chambre implantable

Quelques jours avant le début de la chimio, la chambre implantable sera posée sous la peau, sur la paroi thoracique, après une incision de quelques centimètres sous anesthésie locale. Le bon placement du dispositif est vérifié par radiographie.

La pose

La chambre implantable se présente sous la forme d'un réservoir, de la taille d'une pièce d'1 euro, relié à un cathéter (tube fin et flexible) qui est inséré dans une veine (voir schéma page suivante). Toute cette procédure de « pose » nécessite, bien évidemment, un cadre d'asepsie exemplaire comme le bloc opératoire. Il s'agira de bien comprendre l'intérêt de ce matériel ainsi que les contraintes qu'il impose. Vous devrez savoir, par exemple, qu'il restera une sorte d'appendice tout le long du traitement et vous apprendrez progressivement à vivre avec. Dès la cicatrisation, vous pourrez vous habiller à votre guise et reprendre des activités normales comme le bain, la natation ou le jogging. Il vous faudra simplement éviter les sports qui mettent trop à contribution les bras, comme le tennis, le tir à l'arc ou l'alpinisme, car un mauvais mouvement pourrait déplacer la chambre implantable.

Le but

Ce cathéter permet au médecin ou au personnel infirmier d'administrer aisément vos médicaments ou de réaliser des prélèvements sanguins sans avoir, à chaque fois, à le faire dans une veine du bras.

Il s'agit de préserver le plus possible le capital veineux en évitant la répétition des prises de sang et des injections qui peut abîmer les veines. La chambre réduit l'inconfort de ces procédures et va faciliter tous les soins ambulatoires en donnant directement accès au circuit sanguin.

Pose d'une chambre implantable

Deux voies sont possibles et dépendent des habitudes des médecins mais aussi de l'état de la veine au moment de l'incision pour pose de chambre implantable : la veine jugulaire ou la veine sous-clavière.

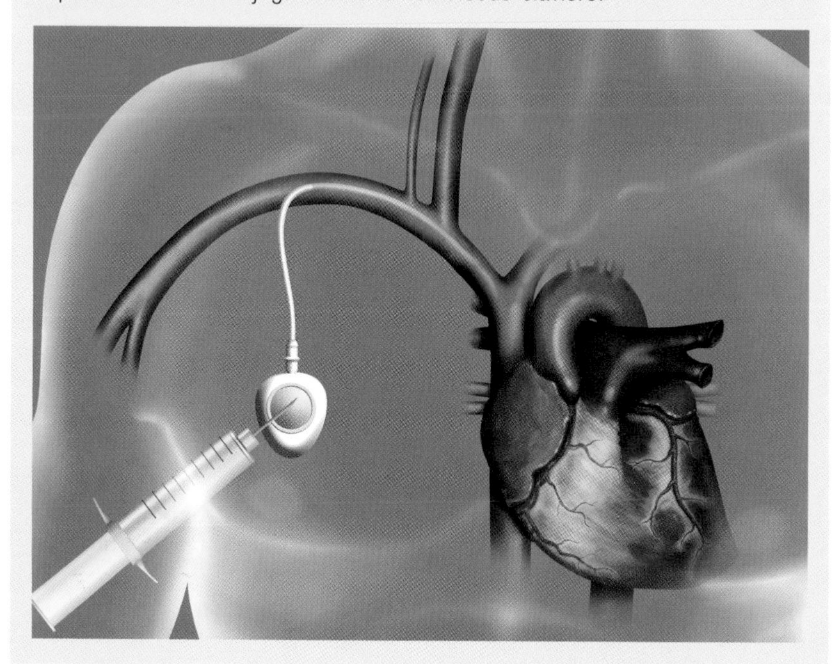

Le suivi

Une chambre implantable nécessite également une surveillance postopératoire pour éviter toute infection ou tout hématome.

L'infection de la chambre peut se manifester par une fièvre, des frissons, une rougeur locale induisant une tachycardie (le cœur bat trop vite) ou des difficultés respiratoires. Si vous ressentez ces symptômes, ne minimisez pas mais signalez-les au contraire au médecin et à l'équipe soignante qui mettront en place un traitement par antibiotiques et des soins locaux de désinfection.

Il est également important de contacter le médecin en cas de douleur dans le cou, l'épaule ou le bras, ainsi qu'en présence d'un gonflement du bras ou de l'avant-bras du côté où la chambre est implantée.
Ces signes peuvent être, en effet, en relation avec la formation d'un caillot sanguin qui nécessitera un traitement anticoagulant.

Toutes ces complications éventuelles peuvent nécessiter le retrait de la chambre implantable. *A contrario*, elle sera laissée en place tout le temps de la chimio et retirée après le traitement et ce, sur avis médical.

Lors d'une hospitalisation ultérieure, pensez à prévenir le personnel infirmier de la présence d'une chambre implantable.

À lire

Jacques Chauvergne, Gabriel Perlemuter, *Chimiothérapie anticancéreuse*, Paris, Masson, 2001.
Gérard Ganem, Chrystèle Grollier, Christophe Tournigand, Éric Voog, *Chimiothérapie et autres traitements médicaux du cancer : modalités pratiques d'administration*, Paris, Elsevier, 2006.

Liens utiles

www.astrazeneca.fr : animation montrant le fonctionnement de la chambre implantable.

www.gsk.fr : Laboratoire Glaxosmithkline.

La chute des cheveux (alopécie) est l'effet de la chimiothérapie le plus redouté par les patients. Comment pourrait-il en être autrement puisque c'est le signe le plus visible de la maladie ? Cela dit, toutes les chimiothérapies ne provoquent pas d'« alopécie ». Parfois même, certaines natures de cheveux sont rebelles aux traitements, et les patients sont alors étonnés de conserver leur tignasse d'antan !

Comment limiter la chute des cheveux ?

La coupe des cheveux

Après l'annonce du protocole de soin, et si vous devez subir une chimio avec alopécie incontournable, vous pouvez choisir d'emblée d'adopter une coupe courte pour mieux « assumer » votre nouvelle tête.
Certains patients veulent abréger le processus de chute des cheveux en se rasant les cheveux eux-mêmes ou avec l'aide d'un proche. Sachez aussi qu'il est parfois moins difficile psychologiquement de le faire faire par un coiffeur ou un prothésiste capillaire.

Le casque réfrigérant : un bon plan, dans certains cas

Le port du casque (entre -18 et -25 degrés) est contre-indiqué chez les patients atteints de certaines leucémies ou de tumeurs au niveau du cuir chevelu.
En revanche, dans les autres cas, et suivant votre chimio, le médecin pourra vous recommander cette pratique qui ralentit ou réduit la chute des cheveux.

• Comment ça marche ?

Le casque réfrigérant est appliqué sur le cuir chevelu lors de la séance de chimio. C'est une sorte de charlotte garnie de glaçons qui est évidemment sans danger pour le cerveau mais qui provoque une « vasoconstriction » (la contraction des vaisseaux sanguins du cuir chevelu).

Le sang circule moins bien autour de la racine du cheveux et la racine, moins atteinte par les traitements, continue donc de se développer normalement. C'est ce qui permet de diminuer et de retarder la perte des cheveux.

• Est-ce que cela fonctionne à tous les coups ?

Non, soyons clairs. L'efficacité du casque réfrigérant dépend de l'association de plusieurs facteurs :

– le type de molécules présentes dans la chimio ;

– le mode d'administration du produit et son intensité ;

– la nature des cheveux du patient et leur longueur (en général, le casque est plus efficace sur des cheveux coupés court).

Le médecin pourra vous recommander cette pratique qui ralentit ou réduit la chute des cheveux.

Le casque doit être apposé 10 minutes avant le début de la séance de chimio, sur des cheveux mouillés, et retiré 30 minutes environ après la fin de la perfusion. Il existe différents types de casques ; certains comportent des plaques réfrigérantes en « microgel » qui peuvent être renouvelées au cours d'une même chimio.

• Le casque réfrigérant est-il inoffensif ?

Dans la plupart des cas, oui. Mais certains patients se plaignent des sensations provoquées par le froid intense, qui peut être à l'origine de violents maux de tête ou encore de douleurs cervicales et oculaires.

Dans tous les cas, notez bien que ce casque ne devra

pas vous être posé plus d'une demi-heure par séance. Après ce délai, il n'est plus assez froid pour être efficace. On peut alors en mettre un deuxième.
N'oubliez pas d'apporter avec vous une écharpe ou une serviette de bain pour vous couvrir le cou le temps du port du casque, ce qui contribuera à réduire l'impression de froid maximal.

La chute des cheveux : fréquente mais réversible !

Vous commencerez à perdre vos cheveux dès les premières semaines du traitement (2 à 3 semaines, en général). La chute peut être brutale ou espacée en fonction du type de molécules utilisées par la chimio et les doses que l'on va vous administrer. Certaines patientes ressentent des démangeaisons et des picotements au niveau du cuir chevelu avant et pendant la chute.
Le plus difficile est d'accepter ce « passage obligé », en quelque sorte, qui est à la fois l'un des plus pénibles et en même temps le moins durable.
Car cela est vérifié à 100 % : vos cheveux commenceront à repousser quelques jours après l'arrêt du traitement en raison d'un petit centimètre par mois. Sachez simplement que la repousse des cheveux peut être différée de quelques semaines par la prise de corticoïdes, d'interféron ou certains traitements d'hormonothérapie.

Comment « vivre » la perte des cheveux

Vous avez plusieurs façons d'accompagner cette « transformation » physique. Tout dépend de la nature de vos cheveux, de vos « complexes » et de votre âge.

Chez les hommes

On a coutume de penser que les hommes s'accommodent plus facilement de cette perte de cheveux, en particulier grâce à l'effet Barthez !

Dans son dernier ouvrage, le professeur Pascal Hammel le souligne fort bien : « Je sais que je vais perdre mes cheveux et que je devrais me les couper court en prévision. La dernière fois que j'ai exécuté cette besogne, c'était avant de partir pour l'armée. La perspective de la chute des cheveux ne m'apparaît pas aussi bénigne que je l'imaginais quand je n'étais pas directement concerné. [...] Mais ma chevelure frisée, abondante dans les années 70, fait partie de mon personnage et représente sans doute un repère important de mon "schéma corporel", comme disent les psychologues. De plus, je suis affligé, depuis l'adolescence, d'un tic qui consiste à tortiller mes bouclettes lors des périodes de concentration, pour lire ou travailler. Que ferai-je quand je n'aurai plus de cheveux ? »

Beaucoup de patients se font ainsi couper à ras avant le début du traitement pour s'habituer à leur nouvelle tête et ils porteront le temps du traitement un petit bonnet ou une casquette pour sortir.

Cela dit, la perte des cheveux chez les hommes n'est pas si inoffensive d'autant plus si elle intervient à un âge avancé, ce qui ajoute au vieillissement général. Cet événement peut, en effet, venir renforcer les stigmates de la maladie avec laquelle il est déjà difficile de vivre.

Messieurs, il faudra alors bien gérer l'après-traitement, car les cheveux en voie de blanchiment avant les soins risquent de repousser tout blancs. C'est la raison pour laquelle, quelques semaines avant la chimio, nous vous recommandons d'arrêter toutes les teintures ou les mèches afin d'être moins surpris par la différence ensuite.

Chez les femmes

La perte des cheveux est toujours attendue avec angoisse par la femme qui considère sa chevelure comme l'un des attributs de sa féminité. Dès l'annonce de la maladie et de la chimio, les médecins rapportent qu'en tout premier lieu, les patientes demandent comment elles peuvent éviter de perdre leurs cheveux. Et les études remarquent que pour le cancérologue, c'est une question périphérique, d'autant plus, peut-être, qu'il est un homme et que ce problème – routinier selon lui – lui paraît, en sus, secondaire.

Comment gérer son image quand on est une femme ?

Si vous êtes frustrée de la réponse du médecin, n'hésitez pas à en parler tout de suite avec l'infirmière cadre ou les infirmières du service de cancérologie pour ne pas faire de ce problème de communication avec votre médecin le « nœud gordien » de votre relation avec lui.

Comment gérer son image quand on est une femme ?
Il existe plusieurs écoles. Certaines patientes aux cheveux longs les coupent très court avant le début de la chimio pour que le choc soit moins brutal. D'autres optent pour la perruque, qu'elles auront choisie avant le traitement et qui correspondra quasi exactement à leur chevelure d'origine.

Le choix de la perruque

Les grands magasins et les coiffeurs spécialisés proposent un beau choix de perruques. Les premiers prix de prothèses en fibre synthétique tournent autour du forfait remboursé par l'Assurance maladie (125 euros), et selon les marques et les modèles, les prix peuvent grimper jusqu'à 700 euros en moyenne, voire plusieurs milliers d'euros pour une perruque faite sur mesure. Dans tous les cas, la perruque fait l'objet d'une prescription médicale. Renseignez-vous d'abord auprès des vendeurs du magasin pour vous assurer que vous pourrez effectivement bénéficier de la prise en charge par la Sécurité sociale, ainsi que du tiers payant.

Dans tous les cas, la perruque fait l'objet d'une prescription médicale.

Quant au remboursement par les mutuelles, il reste assez variable (de 1 à 6 fois le forfait de l'Assurance maladie), et vous prendrez soin de consulter au préalable votre assurance complémentaire.

Où acheter sa perruque ?

– Chez le coiffeur-visagiste : il pourra vous présenter quelques modèles sur catalogue et vous « guider » dans votre choix pour respecter votre identité.
– Dans les grands magasins : certains proposent un espace spécialisé. Renseignez-vous avant de vous déplacer.
– Dans les magasins spécialisés en prothèses capillaires :

ce sont des lieux dans lesquels vous trouverez un large choix de perruques.
– Sur Internet : vous pouvez aussi acheter par correspondance auprès de certains créateurs, par exemple. Mais c'est toujours une démarche plus délicate, car il vaut mieux essayer la perruque pour mieux la « sentir ».

À savoir

L'Institut national du cancer a établi une charte des obligations du vendeur de perruques. Les magasins qui l'ont signée s'engagent donc à respecter des principes, au niveau de l'accueil mais aussi de la présentation des produits et du service après-vente. Un macaron disposé sur la devanture du magasin vous le signalera.
Ainsi, l'INCa recommande de se rendre en priorité dans ces enseignes spécialisées dont vous trouverez les adresses et les références sur son site Internet : www.e-cancer.fr ou par téléphone au 0 810 810 821 (Cancer info-service, du lundi au samedi de 8 h à 20 h).

Comment entretenir sa perruque ?

– Pour les perruques en fibres synthétiques : vous pouvez la laver une à deux fois par mois. L'entretien se fera à la main avec du shampoing spécial que votre vendeur vous aura recommandé. Vous la rincerez abondamment sans la tordre ni la plier.
Laissez-la ensuite sécher sur un

L'entretien se fera à la main avec du shampoing spécial que votre vendeur vous aura recommandé.

support plastique adapté (qui est souvent vendu avec).
– Pour les perruques en fibres naturelles : déposez-la chez votre vendeur pour un nettoyage bien fait (de 30 à 40 euros).

Quels gestes éviter quand vous portez une perruque ?

Les perruques sont inconfortables et non recommandées dans certaines situations de la vie quotidienne :

Évitez l'utilisation de la laque et du sèche-cheveux, fortement déconseillées.

– Enlevez votre perruque la nuit et nouez un foulard léger autour du crâne si vous dormez avec votre conjoint(e).
– Ne vous baignez pas et n'allez pas à la plage avec (le sable et le sel vont vous irriter). Il existe, en revanche, quelques modèles spécialement conçus pour ces situations.
– Veillez à ne pas vous approcher de sources de chaleur trop intenses (bougie, barbecue, four, vapeur) qui peuvent endommager la nature de votre perruque.
– Évitez l'utilisation de la laque et du sèche-cheveux, fortement déconseillée, car ils attaquent la perruque.

La perruque : pas pour tout le monde !

Il est vrai que certains patients ne supportent pas les perruques, d'abord parce que psychologiquement, cela fait l'effet d'un postiche, mais aussi parce que certaines prothèses peuvent irriter ou chauffer le cuir chevelu fragilisé par le traitement. En été, par exemple, les perruques sont parfois difficiles à supporter en raison de la chaleur et des démangeaisons que provoque la transpiration. Ainsi, de nombreux patients choisiront d'assumer plus simplement leur nouveau visage en nouant un turban, un petit foulard ou en portant un chapeau ou une casquette.

Donnez-vous un look !

C'est le moment d'oser… Oser les bandeaux un peu fous et colorés. Oser aussi le maquillage autour des yeux très tendance « sixties et seventies ». Oser, enfin, vous révéler différent(e)…
Lorsque vous êtes seul(e) à la maison, n'hésitez pas à reposer votre tête en la laissant respirer.

Dédramatiser, avec humour !

Plus facile de rire quand les choses ont passé… Mais, en général, les malades n'aiment pas que l'on esquive le problème de la chute des cheveux en leur disant dans un sourire : « Mais ce n'est pas grave, ça repousse ! » Car le problème réside bien dans la perte momentanée d'un petit bout d'identité… En revanche, une fois les effets de la chimio avancés, il faut les aider à bien gérer leur nouvelle image. Les psychologues ont des histoires en quantité sur les maris tenant dans leurs bras leur petite femme et lui murmurant à l'oreille : « Tu es la plus belle chauve du quartier ma chérie ! » et réciproquement…

« Tu es la plus belle chauve du quartier ma chérie ! »

Mais cette image de soi ne sera pas facile, immédiatement,

à assumer, face à son conjoint, ses enfants et sa famille élargie. N'hésitez pas alors à jouer la différence : « Maman a décidé d'adopter un nouveau look, plus jeune, plus coloré… c'est comme ça, moi aussi je veux me faire plaisir ! »

Assumer sa nouvelle tête au travail

Si vous ne travaillez pas chez vous et que vous n'êtes pas votre propre patron entouré d'une équipe de salariés proches, vous devrez affronter le contexte socioprofessionnel.

Là encore, il y a plusieurs écoles, mais les psychologues recommandent de « dire » les choses, alors que certains patients persistent à camoufler leur maladie le plus longtemps possible. Dire, c'est assumer pour ensuite mieux oublier…

Beaucoup de malades, et en particulier les hommes dans les postes de responsabilités, rapportent leur hantise de perdre leurs cheveux, comme si avec eux s'en allait leur crédibilité… À côté de la dimension hiérarchique qu'il faut apprendre à assumer vient la dimension « publique »… « Monsieur untel serait malade… », lequel monsieur untel devra expliquer aux uns et aux autres sa maladie, son traitement, sa capacité à faire face, etc. Vous affronterez fatalement ce type d'interrogatoire, tout simplement parce que les gens prennent

Gardez la tête haute. L'objectif de votre persévérance professionnelle, c'est de continuer à travailler le mieux du monde.

spontanément de vos nouvelles en compatissant, mais aussi parce qu'eux-mêmes ont peur de la maladie. Sachez-le et gardez la tête haute. L'objectif de votre persévérance professionnelle, c'est de continuer à travailler le mieux du monde, sans vous épuiser et avec tous les aménagements nécessaires (voir Travail, p. 252).

Quand vos cheveux repoussent

Nous l'avons déjà dit, en général, les cheveux repoussent 2 à 3 semaines – rarement plus tard – après l'arrêt du traitement. Si elle est attendue, la repousse n'est pas toujours très agréable : elle peut s'accompagner de démangeaisons, et la texture comme la couleur de vos cheveux peuvent être modifiées. Laissez faire la nature avant de vous irriter le cuir chevelu avec des teintures ou des défrisages. Six mois après une belle repousse, vous pourrez envisager de vous faire un nouveau look ou de retrouver vos repères d'avant…

Six mois après une belle repousse, vous pourrez envisager de vous faire un nouveau look.

Sachez même que certains magasins de prothèses capillaires proposent un accompagnement jusqu'à la première coupe.

À lire

Pr Pascal Hammel, *Guérir et mieux soigner : un médecin à l'école de sa maladie, chronique d'un cancer*, Paris, Fayard, 2008.

Contamination

Le cancer ne s'attrape pas. Ce n'est ni un virus, ni une bactérie, ni un parasite. On peut sans danger s'embrasser, faire l'amour, avoir des rapports sexuels, intimes ou extrêmement proches et chaleureux avec une personne qui a ou qui a eu un cancer. Elle n'est en aucun cas contagieuse.

Témoignage

« Ma vie de couple n'a pas résisté à l'annonce de mon cancer du col de l'utérus. Le chirurgien a pourtant bien expliqué à mon mari que nous pourrions continuer à avoir des relations sexuelles normales. J'ai vaincu la maladie, mais pas ses préjugés : il ne me touche plus. Quelque chose en moi le dégoûte et ce quelque chose, c'est le cancer. Dans sa tête, ça reste contagieux d'une manière ou d'une autre. Il a peur de l'attraper en me faisant l'amour. À coup sûr, ses copains lui ont mis ça dans la tête. Il refuse d'en parler et ça nous rend malheureux tous les deux. Aller voir un sexologue, ce n'est pas non plus son genre. Et je me demande où nous allons si je ne parviens pas à le persuader qu'il ne risque rien. » (Suzanne, 58 ans.)

« Il pense par contagion et attrape une opinion comme un rhume. » (John Ruskin.)

Il faut abattre certaines croyances qui font du cancer une maladie contagieuse !

C'est une aberration qui peut se révéler destructrice pour le malade et pour son entourage. Combien de sexologues voient, par exemple, défiler des maris transis à l'idée de faire l'amour à leur femme qui a été opérée d'un cancer gynécologique, par peur d'être contaminés ? C'est pourquoi il faut chercher à bien comprendre votre cancer pour pouvoir l'expliquer à vos proches.

Une exception : le cancer du col de l'utérus, sexuellement transmissible

L'infection est due à un virus cancérigène, le *Papillomavirus*, transmis lors de rapports sexuels non protégés. C'est la raison pour laquelle il existe aujourd'hui un vaccin (le Gardasil®, de Sanofi Pasteur MSD) à destination des jeunes filles dès l'âge de quatorze ans, car elles sont les plus sujettes à l'infection dès les premiers rapports. En l'absence de vaccination, les risques de la contracter augmentent ensuite avec l'âge et le nombre de partenaires. Cette infection, dans certains cas, entraîne une maladie du col de l'utérus appelée dysplasie, ou CIN. C'est cette maladie encore bénigne que l'on cherche à dépister par le frottis cervico-vaginal (Pap test). Si elle passe inaperçue, elle peut, avec le temps, se transformer en cancer. Le cancer du col de l'utérus n'est donc pas héréditaire ; il est la conséquence, rare heureusement, d'une maladie vénérienne qui est, elle, contagieuse. Encore une fois, cette maladie est en général dépistée grâce aux frottis cervico-vaginaux (classe 3 ou 4). Si vous êtes atteinte du virus, votre partenaire doit lui aussi se faire examiner puisqu'il en est le porteur et qu'il risque de vous infecter à nouveau.

Dans tous les autres cas, le cancer n'est pas contagieux

Vous devez continuer à vivre au plus près de vos habitudes en entretenant vos relations avec vos parents, vos enfants, vos amis. Il est bien sûr évident que vous pouvez leur donner la main, les serrer dans vos bras, les embrasser, boire dans le même verre qu'eux, faire l'amour…

Corps

Le cancer est une trahison du corps difficile à supporter. Le corps nous trahit et il se trahit. Contrairement à beaucoup de maladies qui sont dues à des circonstances ou à des agents extérieurs comme un accident de voiture, un poison ou un virus, le cancer est un ennemi intérieur.

Le cancer est un ennemi intérieur : une cellule au milieu du million de milliards de cellules qui constituent le corps humain se dérègle, altère son patrimoine génétique et acquiert des propriétés nouvelles qui vont la contraindre à entrer dans un processus de prolifération infinie. Cette cellule dysfonctionne, engendre une descendance immense. Ces processus se mettent à l'œuvre dans un milieu fermé, à ressources limitées : le corps. Une sélection naturelle s'opère. Au fur et à mesure de l'évolution du cancer, les cellules les plus performantes, donc les plus agressives, vont engendrer préférentiellement leur descendance. On va donc aller vers une tumeur de plus en plus maligne. Mais le patrimoine génétique initial de cette cellule cancéreuse, au départ, c'est celui de toutes les cellules du corps. Or ce qui définit l'identité d'un individu, c'est son patrimoine génétique. Le corps est donc trahi par une partie de lui-même. Il va devoir se battre contre lui-même et se souvenir qu'il a aussi en lui les ressources pour vaincre.

Témoignage

« Moi qui avais une santé de fer, j'ai été scandalisée par ce que je ressentais comme une insupportable traîtrise. Le cancer, c'était comme un coup de poignard dans le dos. Ce corps que j'entretenais avec soin depuis toujours développait depuis des mois une maladie invisible, indolore mais potentiellement fatale. J'ai eu du mal à m'en remettre. Pour la première fois, moi qui étais si fière de mon apparence, je ne maîtrisais plus rien. J'avais l'impression d'avoir bâti sur du sable. Je portais mon ennemi en moi. Je ne pouvais plus me regarder dans la glace. Je me demandais d'où allait venir le prochain coup.
La seule certitude, c'est qu'il viendrait de l'intérieur. Je me haïssais pour ça. Il a fallu du temps et parler beaucoup, avec le psychologue, avec le chirurgien, avec mon

mari aussi, pour l'accepter. Lâcher prise pour avoir une chance, un jour, de reprendre le contrôle. Parce que ça me faisait trop mal, cette idée. C'est elle qui me détruisait, plus sûrement que mon cancer. » (Claire, 48 ans.)

Le cancer bouleverse le corps, et les traitements l'épuisent

Il est donc fondamental que vous soyez attentif à votre corps grâce à des soins relaxants qui vous aideront à vous régénérer. Si vous êtes accompagné à la maison, prenez un bain pour reposer vos muscles. En hôpital de jour ou à la maison, les séances de massage en particulier sont d'autres précieux instants. Certains services en cancérologie proposent d'ailleurs à leurs patients des consultations avec le masseur. Combien de malades n'évoquent-ils pas cette envie de « se détendre » et de « relâcher les nerfs » entre des doigts experts ? Et en effet, un bon massage, simple et doux (il ne doit jamais être douloureux), peut avoir une vertu thérapeutique. En stimulant la circulation et en assouplissant les articulations, c'est un moyen de lutter contre la douleur et l'anxiété, un moyen aussi pour le patient de reconsidérer son corps...

« Le corps humain est un royaume où chaque organe veut être roi. » (Grand Corps Malade.)

Cosmétique

Qu'il s'agisse de crèmes, de lotions, d'huiles, de poudres ou de fonds de teint, nous sommes des millions en France à vivre entourés de produits cosmétiques, censés participer à notre bien-être.

L'arrêté du 30 juin 2000 en fixe une liste exhaustive qui va des crèmes d'hydratation du visage aux lotions capillaires, et en précise leur définition : « Un produit cosmétique ne doit pas nuire à la santé humaine lorsqu'il est appliqué dans les conditions normales d'utilisation, compte tenu de la présentation du produit, des mentions portées sur l'étiquetage ainsi que toutes autres informations destinées aux consommateurs. » En France, l'Agence de sécurité sanitaire (AFSSAPS) participe à leur évaluation et gère le dispositif de cosmétovigilance (surveillance des effets indésirables).

Et pourtant, malgré ces réglementations très strictes, certains médias ont fait état de risques pour la santé liés à leur utilisation.

Les déodorants et les antitranspirants : une rumeur infondée

De nombreuses substances ont cependant soulevé des inquiétudes comme les parabens (conservateurs) et les sels d'aluminium (présents dans les antitranspirants mais aussi dans les produits de soins du corps, soins du visage type peeling, le vernis à ongle). On leur a même imputé la responsabilité de certaines pathologies, notamment le cancer du sein.

Mais rassurez-vous, aucune expertise scientifique n'a jamais démontré ce lien. Tout ceci tient de la rumeur infondée.

Les déodorants qui provoquent un cancer du sein : un mythe !

Un groupe de scientifiques s'est sérieusement penché sur la question en réalisant une étude épidémiologique à grande échelle dans le *Journal of the National Cancer Institute* (octobre 2002) sur une population de 1 600 femmes.
Elle confirme qu'il n'existe aucun lien entre l'usage d'anti-transpirants et le risque d'un cancer du sein. (McGrath KG, 2003, Guillard et al., 2004.)
Cette position bénéficie du soutien de prestataires de soins de santé, spécialistes du cancer, et groupes de santé féminine du monde entier. Les autorités de santé, AFSSAPS et FDA en tête, se sont, par exemple, prononcées en faveur de l'innocuité de ces produits.
En fait, aucun lien anatomique n'existe entre les glandes sudoripares et les ganglions lymphatiques. Si donc les cancers du sein apparaissent majoritairement dans le quadrant supéro-externe du sein, à proximité du lieu d'application des produits incriminés, c'est tout simplement parce qu'il y a plus de tissu mammaire à cet endroit. Autre argument en faveur de l'innocuité de ces produits : pourquoi n'y a-t-il pas d'augmentation du cancer du sein chez l'homme ? Et comment expliquer la non-bilatéralité de ces cancers ? N'oublions pas les facteurs de risques reconnus du cancer du sein.

Considérant la prévalence très élevée du cancer du sein, particulièrement en France, il apparaît essentiel, plutôt que d'alarmer les femmes sur des hypothèses sans fondement scientifique, de revenir sur les facteurs de risques reconnus du cancer du sein, à savoir :
– le sexe féminin,
– l'âge,
– des facteurs de risques génétiques,
– les antécédents familiaux,
– l'âge tardif de la première grossesse,
– l'âge précoce de la puberté,
– l'âge tardif de la ménopause,
– l'exposition très prolongée à des contraceptifs oraux,
– un traitement hormonal substitutif prolongé,
et de sensibiliser ainsi les femmes sur l'importance de la prévention et du dépistage.

Les produits cosmétiques, adjuvants de la beauté pour les patientes et les patients

Certains discours alarmistes, contrecarrés par ces focus, doivent vous inciter à ne pas renoncer à l'utilisation de ces produits de bien-être.

Vous devez continuer à utiliser des crèmes hydradantes (pour prévenir la déshydratation de la peau liée aux traitements) ainsi que des fonds de teint et du maquillage pour l'effet bonne mine, qui participeront à votre moral.

Quelques conseils pratiques

Privilégiez les crèmes hydratantes pour peaux sensibles telles que celles des marques : Avène®, La Roche-Posay®, Lierac®, Lutsine®, Uriage®, Ducray® (A-Derma).

Si vous êtes une adepte du vernis à ongles, choisissez des dissolvants sans acétone pour ne pas agresser vos mains. Par exemple, ceux des marques :
Peggy Sage®, Bourjois®, Miss Den®, Santé®, Calysia®.

En cas de lèvres gercées : protégez vos lèvres à l'aide d'un onguent nourrissant et ultraprotecteur. Si vous tenez absolument à colorer vos lèvres, fuyez les rouges à lèvres non hydratants.
Une astuce : prenez un crayon à lèvres pour en tracer le contour, enduisez vos lèvres de crème nourrissante et cicatrisante (Avibon®, Homéoplasmine® ou Cicaderma® en pharmacie) puis resserrez vos lèvres pour mélanger les matières.

Exemples de produits :
Elisabeth Arden® : crème de huit heures (en pot mais également en baume)
Ducray® : Kelyane
Avène® : baume Cold Cream
Forest People® : crème au jasmin (en pot)

Pour le nettoyage de votre peau, préférez le lait, l'huile, le baume, le pain dermatologique aux lingettes, eaux, mousses, gels, disques démaquillants, trop décapants.

Exemples de produits :

En grandes surfaces :

Barbara Gould® : gel démaquillant yeux
Évian® : eau démaquillante originelle
L'Oréal® : lingettes nettoyantes anti-dessèchement, hydra-confort
Nivéa® : lait nettoyant apaisant
Diadermine® : lotion tonique dermo-douceur
L'Oréal® : tonique velouté hydra-confort
Nivéa® : lotion peaux sèche et sensible

En parapharmacie :

Avène® : lotion micellaire nettoyante et démaquillante
Bioderma® : Créaline H_2O, solution micellaire peaux sèche et sensible
La Roche-Posay® : Tolériane dermo-nettoyant et démaquillant visage et yeux
Klorane® : lotion démaquillante apaisante au bleuet pour yeux sensibles
Vichy® : démaquillant yeux sensibles à l'eau thermale
Caudalie® : mousse nettoyante fleur de vigne

En parfumerie :

Estée Lauder® : Take it Away, démaquillant visage et yeux
Chanel® : lait démaquillant nourrissant
Lancôme® : Galatée confort

Clinique® : baume démaquillant
Clinique® : démaquillant yeux et lèvres
Clinique® : lait démaquillant
Lancôme® : tonique confort
Dior® : tonique magique apaisant
Darphin® : tonique fraîcheur
Sisley® : lotion tonique aux fleurs sans alcool, peaux sèche et sensible
Décléor® : huile démaquillante visage et yeux
Les Bains du Marais® : huile précieuse d'argan
Make-up Forever® : huile démaquillante extrême cleanser
La Sultane de Saba® : huile visage à la figue de Barbarie
Leonor Greyl® : huile de magnolia
Shu Uemura® : huile démaquillante équilibre haute performance classique

Pour bien hydrater votre peau :

En grandes surfaces :

Diadermine® : soin de jour hydratant PH5
Nivéa® : soin de jour nutritif intense

En parapharmacie :

Avène® : Cold Cream, peaux très sèche et sensible
Avène® : Tolérance Extrême, crème anti-irritante apaisante (7 doses stériles)
Ducray® : A-Derma Epithéliale AH
Weleda® : crème hydratante peaux exigeantes à la rose musquée
Bioderma® : Créaline TS, crème peaux très sèche et sensible
Vichy® : Nutrilogie 2, soin profond peau très sèche
La Roche-Posay® : Tolériane riche, crème protectrice apaisante

La Roche-Posay® : soin transformation peau très sèche
Ducray® : Ictyane crème émolliente et hydratante
Neutrogena® : soin hydratant peau sèche
Nuxe® : Aroma Vaillance, émulsion crème hydratante
En parfumerie :
Estée Lauder® : Hydra complète, crème hydratation extrême peau sèche
Clinique® : Moisture Surge Extra, gel-crème désaltérant peau déshydratée
Biotherm® : Aquasource non-stop
Chanel® : Hydramax + sérum
En magasin bio :
Résonances® : crème visage peau sèche, crème de jour caresse d'éveil
Suzanne aux bains® : crème de jour néroli
Sanoflore® : crème à l'huile d'argan
Forest People® : crème au jasmin

À lire

Consensus d'expert sur les cosmétiques et déodorants, dirigé par le Pr Moïse Namer, Bulletin du cancer 2008.

Rita Stiens, *La Vérité sur les cosmétiques naturels*, Paris, Leduc Éditions, 2005.

David Servan-Schreiber, *Les Réflexes anticancer au quotidien*, Paris, Robert Laffont.

Liens utiles

www.cew.asso.fr Dépistage

Couple

L'histoire d'un couple est tissée des épreuves qu'il traverse. Se souvenir d'abord que ce n'est pas parce que l'autre n'arrive pas à suivre et à s'adapter sur-le-champ à la situation que le couple n'existe plus. Lui donner sa chance avant de le clouer au pilori et de le rejeter définitivement.

Témoignage

« Mon ami m'a abandonnée au beau milieu du boulevard le matin de ma première chimiothérapie. Il a saisi le premier prétexte pour se fâcher tout rouge, a ouvert la portière et il est littéralement parti en courant. J'ai dû reprendre le volant et ma vie en mains. C'était pourtant un superbe spécimen de virilité protectrice. Mais face à ma maladie, il était redevenu soudain le petit garçon qui avait perdu sa mère trop tôt. Sur le coup, je lui en ai affreusement voulu. Il m'avait lâchée au moment où j'avais le plus besoin de lui. C'était à moi d'avoir peur, pas à lui ! Puis j'ai réalisé qu'il avait été un peu chahuté par le défilé des copines qui s'empressaient autour de mon lit après mon opération et se moquaient gentiment de lui parce qu'il ne savait même pas faire marcher la machine pour laver mes pyjamas. Il s'était senti inutile, empoté, mauvais. C'est ça qui l'a rendu mauvais. Le coup de colère passé, j'ai réfléchi et je lui ai envoyé un mail pour lui dire que je comprenais, que c'était aussi de ma faute s'il n'arrivait pas à rester à mes côtés. Puis un second pour lui dire que j'avais besoin de lui, mais que je saurais attendre, que je croyais en nous. Pas de réponse. J'ai continué à lui envoyer mes petits messages tendres, juste pour lui donner des nouvelles, lui dire à quel point il me manquait et que je m'appliquais

“

Face au cancer, le couple peut donner le meilleur ou le pire de lui-même. Parfois les deux. La maladie bouge tous les repères, radicalise les attitudes et remet en question la position de chacun à l'intérieur du couple. La réalité blesse, les apparences volent en éclats, les rôles sont redistribués. Le plus protecteur ou le plus solide des deux n'est pas toujours celui ou celle qu'ils croyaient. Une épreuve de vérité que certains ont du mal à dépasser. Qui demande beaucoup d'amour, d'attention à l'autre, de dépassement de soi et surtout, de patience et d'indulgence. Certains ne se sentent pas capables de faire front. Pas du tout. Ou pas tout de suite. Pour celui des deux qui est malade, c'est difficile à vivre. Une épreuve supplémentaire dont le couple se serait bien passé. Le moindre mouvement de fuite, de recul est interprété comme une trahison. Les rancunes s'installent, le quiproquo est complet, d'autant qu'on refuse le plus souvent d'en parler. Le fossé entre les deux peut se creuser assez rapidement s'ils ne prennent pas soin de mettre des mots sur leur malaise. Décider de faire face à deux, c'est sans nul doute l'idéal. Décider de faire face en solo sans se plaindre en attendant que l'autre se sente la force de vous épauler pour de bon, c'est peut-être aussi une forme de preuve d'amour.

à guérir pour le retrouver. Ça me faisait du bien de lui raconter la tête des gens que je croisais à l'hôpital, lui parler de mes lectures, des idées folles, gaies ou tristes qui me passaient par la tête. Comme si je me mettais nue devant lui. Mes amies étaient contre. Je me suis obstinée et j'ai eu raison. Un jour, il est réapparu avec, à la main, un affreux bouquet composé de toutes les fleurs que je n'aimais pas. Mais lui, je l'aimais toujours. On a fini par s'en sortir ensemble. C'est même pour ça qu'on a décidé de se marier. On a déjà connu le pire. Il ne nous reste que le meilleur à vivre. » (Justine, 37 ans.)
Un couple, c'est beaucoup plus résistant qu'il n'y paraît. Et s'il fait naufrage, c'est souvent que la voie d'eau existait

auparavant. La maladie n'a fait qu'accélérer le processus. Un petit examen de conscience s'impose avant d'accuser l'autre d'être un lâche ou un salaud. Lui a-t-on laissé la place d'agir, d'apporter son aide, même maladroite ? Sous le choc de l'épreuve, les personnalités se radicalisent : les défauts, mais aussi les qualités ressortent.

Courage, fuyons !

Comme souvent dans l'épreuve, le premier mouvement, c'est la fuite. Il y a le bien-portant qui fuit la part malade du couple. Il y a aussi les malades qui préfèrent taire à l'autre ce qui leur arrive. Dans les deux cas, c'est ressenti, tôt ou tard, comme une insupportable trahison. En réalité, chacun fait comme il peut, avec ce qu'il est. Il n'y a plus de place pour l'approximation et les faux-semblants. La maladie décape les sentiments mais l'essentiel subsiste. Même dans la fuite, dans la séparation, on est encore un couple pour un bon moment. Autant essayer de le rester alors même qu'on a tant besoin l'un de l'autre pour surmonter les nombreux obstacles de cette espèce de marathon qu'est le cancer. Pour le malade, mais aussi pour l'autre qui partage sa vie.

Avouer sa peur et permettre à l'autre de dire la sienne est un bon début. Se murer dans le silence, l'héroïsme ou l'agressivité fait plus de mal que de bien. Il arrive souvent que le malade vive en camp retranché, coupé de ce qui faisait sa vie d'avant sans parvenir à imaginer encore qu'il y aura une vie après. Ou que l'angoisse paralyse celui des deux qui n'est pas malade et lui fasse adopter une attitude défensive qui peut très bien ressembler à de l'indifférence.

« Moi je »

Quand survient le cancer, les égoïsmes occupent le devant de la scène et font leur numéro. Derrière le monstre d'égoïsme, il y a souvent simplement un homme, une femme qui souffre. Mari, femme, père, mère, amant, amante, les catégories sont brouillées : la maladie modifie tout à partir de l'instant précis où elle est nommée.
Cet homme, cette femme qu'on aime toujours, mais qu'on ne reconnaît plus tout à fait et qui fait peur dans son nouveau rôle de malade ou agace dans sa nouvelle identité de bien-portant. On ne sait plus très bien qui on regarde et chaque regard peut être une blessure s'il est mal interprété.

« Pour bâtir un couple, il faut être quatre : un homme plus sa part de féminité, une femme plus sa part de virilité. » (Bernard Werber, *L'Empire des anges*.)

Réactions

Pour se protéger, beaucoup de conjoints préfèrent se réfugier dans le déni. Fuir la réalité du cancer, nier l'évidence et du coup, manquer de la compréhension la plus élémentaire et avoir parfois des réactions immatures, désolantes face au malade. Essayer de comprendre. D'un côté comme de l'autre. Revenir aux fondamentaux du couple. Se souvenir qu'on est deux et qu'il faut parfois ajuster, se laisser un peu de temps et s'expliquer pour se comprendre.
Il y a aussi le conjoint hyperactif qui, soudain, se sent partie prenante du personnel soignant. La femme qui devient l'infirmière, la cuisinière, la psychologue de son mari.

Le conjoint qui se met à prendre tout seul les décisions qu'ils prenaient auparavant à deux. Attention à ne pas nier l'autre, à faire la part de la pudeur et de l'intimité encore plus nécessaires au moment où la maladie fragilise. Certains ont besoin de ce maternage, d'autres se sentiront diminués, cernés, injustement victimisés, infantilisés, et pour finir, démobilisés, se laisseront aller, laisseront aller leur couple à vau-l'eau, renonceront à réclamer leur part d'amour.
Avoir la générosité de s'effacer pour laisser à celui ou celle des deux qui est malade un maximum d'autonomie, de normalité dans les relations du couple. Trouver le ton juste. Éviter les écueils du déni, mais aussi de la pitié, du mutisme, du bavardage ou de l'hyperactivité qui sont autant de manières de fuir l'angoisse. L'amour est le seul moyen de faire céder la peur, de relâcher la pression infernale de la maladie, de l'oublier le temps qu'on s'aime, d'ouvrir une parenthèse heureuse, de se promettre un avenir à deux et d'y croire.

Intimité

À cause du cancer, tous les aspects de la vie du couple se trouvent bouleversés, et en premier lieu ses relations sexuelles. Le désir se fait timide, les gestes hésitants, le regard fuit, la libido est en chute libre. Le silence des corps est plus terrible que tout quand il vous prive du réconfort des caresses et de la présence très proche de l'être aimé.
Certains cancers laissent le corps plus ou moins mutilé, abîmé, transformé, sous le regard effaré de l'autre qui doit alors puiser dans les ressources d'un amour pas toujours assez profond ou fort pour le supporter. Apprendre à pardonner les hésitations, à guider l'autre dans ses gestes, à dépasser nos impuissances réciproques, à fermer les

yeux et à s'abandonner. Faire l'amour sans penser à la maladie peut devenir impossible. Mais il y a mille et une façons de faire l'amour. À commencer par la tendresse. Se montrer rassurant, présent. Oser dire son amour, son désir intact malgré la maladie. Oser toucher le corps souffrant de l'autre pour remplacer la douleur par la douceur. Prendre l'autre dans ses bras pour lui transfuser sa force et son amour. Inventer de nouveaux rituels amoureux adaptés à la situation, des signaux d'amour que l'on pourra se donner jusque dans une chambre d'hôpital.
Oser tout simplement faire l'amour. Il est rare que le cancer l'interdise. C'est l'idée que l'on se fait soudain du corps de l'autre qui bloque et c'est compréhensible. Chercher à comprendre. Dépasser les obstacles. Au besoin, déplacer les montagnes. Ne pas hésiter à consulter un sexologue (voir Sexualité, p. 230).
Avec la maladie, l'amour est plus que jamais un travail à temps plein. Il requiert une formidable inventivité, une abnégation, un oubli de soi. Il s'agit d'aller puiser dans des ressources que le temps et la routine du couple avaient parfois asséchées. Certains s'en trouvent revivifiés. D'autres n'y résistent pas. Se battre pour sauver son couple, pour raviver la petite flamme de son amour vacillant au beau milieu de la tempête qu'est la maladie est une excellente raison de guérir et de revivre.

S'aimer

Prendre du temps à deux dans le tourbillon des examens et des traitements. S'offrir des escapades, des dîners en tête-à-tête, abandonner les enfants pour un week-end en amoureux, voler quelques heures au bureau pour aller voir la mer, visiter un musée, faire un tour de manège, ou n'importe quelle folie minuscule que savent s'inventer deux amoureux qui viennent de se rencontrer. Se rappeler qu'on a été fous et le redevenir un peu face à la folie que le cancer introduit dans votre vie. Se donner des signes certains qu'on est deux et qu'on s'aime. Se proclamer amoureux, même si les enfants doivent vous trouver ridicules. Être ridicules à deux plutôt que de se disputer ou de se faire mal juste parce qu'on a mal et trop peur, pour l'autre ou pour soi. Oser s'aimer plus fort que jamais, même si on avait un peu oublié comment faire. Regarder l'autre comme l'être précieux entre tous qu'on a choisi un beau jour, qu'on ne veut perdre à aucun prix, à qui on veut tout donner. Le lui dire chaque jour. Le lui prouver encore plus fort. C'est la meilleure thérapie.

Oser s'aimer plus fort que jamais, même si on avait un peu oublié comment faire.

Le couple qui avait sa routine, ses projets, ses habitudes tremble sur ses bases, et c'est bien normal. Se réinventer au jour le jour dans une situation qui n'a rien de glamour n'est pas facile. Pourtant, la situation peut être pleine de ressources pour peu qu'on décide de la vivre ensemble au lieu de l'appréhender chacun pour soi.

À lire

N. Jarousse et Pr David Khayat, *La Volonté d'aimer : cancer et sexualité, des réponses claires et précises,* Paris, Ellébore, 2001.

Liens utiles

Maryse Vaillant, *Une année singulière avec mon cancer du sein*, Paris, Albin Michel, 2008.

Dépistage

En pratique, seules quelques formes de cancer peuvent faire l'objet d'un dépistage : le cancer du sein, de l'utérus, de la peau, du côlon, du rectum et de la prostate. Les tests sont réalisés sur des personnes bien portantes qui n'ont a priori pas de symptômes.

Ils permettent de déceler d'éventuelles lésions à haut risque de transformation en cancer ou bien de très petites lésions cancéreuses.

Depuis 2001, la loi institue un dépistage gratuit du cancer du sein par mammographie tous les deux ans pour les femmes âgées de 50 à 74 ans, et le dépistage du cancer du col utérin est aussi largement institué en France grâce aux frottis réalisés tous les deux ans chez la femme, à partir des premiers rapports sexuels.

Depuis 2001, la loi institue un dépistage gratuit du cancer du sein par mammographie tous les deux ans pour les femmes âgées de 50 à 74 ans.

Les techniques sont aussi efficaces dans le cadre du dépistage du cancer du côlon. On sait, en effet, que les risques de transformation des polypes en tumeurs cancéreuses sont élevés s'ils font plus de 1 cm. C'est pourquoi une coloscopie permettra de les mettre à jour et de les enlever, le cas échéant.

Ces politiques préventives sont fondamentales quand on sait que plus tôt le cancer est dépisté, plus les chances de guérison sont grandes ; 90 % des cancers du côlon superficiels guériront à l'aide d'une simple chirurgie, 90 % des cancers du sein (inférieurs à 5 mm) guériront avec un traitement le plus souvent non mutilant et sans chimiothérapie !

Diagnostic

« Le deuxième avis m'a sauvé la vie. »
En 1992, Gilbert est atteint d'un très grave cancer. Il est bouleversé par le pronostic alarmant d'un professeur de cancérologie. Mais sur les conseils de son meilleur ami, il décide de consulter un deuxième professeur. En 1997, il est considéré comme « guéri ».

« Lorsque le premier professeur de cancérologie m'a détaillé son protocole, j'étais accablé car, à l'entendre, je n'avais pas beaucoup de chances de m'en sortir et je devais passer par une opération chirurgicale vraiment très lourde.
Au même moment, mon frère est atteint d'un dramatique cancer du pancréas. Or nous codirigeons une entreprise importante, et je me vois mal annoncer que les deux présidents sont en train de mourir… Mon meilleur ami, neurochirurgien, me persuade alors d'aller voir un autre cancérologue pour obtenir un deuxième avis.
Je rencontre ce deuxième professeur qui, contrairement au premier – celui-ci ne s'était fondé que sur le scanner et l'IRM – m'ausculte de la tête aux pieds. Notre premier contact a été très froid. Je ne lui ai pas parlé, je ne voulais pas me déshabiller tellement j'étais échaudé par ma dernière rencontre avec un spécialiste.
À la fin de la consultation, il me donne son pronostic. Il est le parfait opposé de celui de l'autre cancérologue. Alors je m'énerve : "Mais qu'est-ce que je fais, moi ? Je suis profane, et c'est moi qui dois choisir entre votre avis et un autre ?"
Il me propose alors huit séances de chimiothérapie très forte et une petite intervention chirurgicale suivie d'une

radiothérapie. Il me dit que ça va être une bagarre difficile et qu'il faut impérativement que j'y contribue. Un conseil indispensable : "À partir d'aujourd'hui, m'explique-t-il, vous ne faites plus rien qui vous ennuie, seulement des choses pour garder le moral." C'est à ce moment-là que j'ai arrêté la gym, du jour au lendemain ! Ce deuxième avis m'a sauvé la vie et cette consultation m'a redonné confiance. Je me suis dit que rien n'est jamais perdu, qu'il faut se battre, qu'il faut tout essayer et surtout garder le moral. Pendant toute la durée du traitement, je me suis raccroché aux choses que j'aimais. Mes amis, ma famille, le golf, que je pratique beaucoup, l'entreprise, évidemment, que je devais continuer à gérer au mieux. Et puis, entre chaque séance de chimio, je partais me ressourcer à la mer ou à la montagne, ce que tout le personnel soignant me conseillait... Pendant tout le traitement, enfin, j'ai eu pour principal "accompagnateur" mon meilleur ami, ce second professeur, qui m'a été d'un soutien immense. En 1997, après cinq ans de rémission, je suis déclaré "guéri"... Depuis, je suis suivi tous les ans avec un scanner et diverses analyses, mais je vis tout à fait normalement. Aujourd'hui, je dis à tous ceux qui sont atteints d'un cancer : "Croyez-y et battez-vous, c'est la clé de tout..." Et j'ajoute un grand merci à mes sauveurs, et à la science. »

« À partir d'aujourd'hui, vous ne faites plus rien qui vous ennuie, seulement des choses pour garder le moral. »

L'annonce du diagnostic va bousculer votre vie et celle de votre famille. Chacun va réagir de son côté, à sa manière, avec distance ou, au contraire, avec beaucoup de sollicitude.

Le jour du diagnostic, vous sentez que la vie bascule ; il est donc normal de pleurer, de vous révolter, de ne pas accepter… Votre réaction fait partie de vos mécanismes de défense : « Pourquoi moi ? » « Pourquoi maintenant ? » C'est un jour où votre famille et vos amis doivent être près de vous, pour vous aider à regarder en avant. C'est, symboliquement, le jour où la lutte contre la maladie commence.

Le jour du diagnostic, vous sentez que la vie bascule ; il est donc normal de pleurer, de vous révolter, de ne pas accepter…

Le face-à-face douloureux entre le patient et le professionnel intervient à la fin d'une longue série d'examens (analyses de sang, échographie, IRM, biopsie) qui auront mis en évidence des cellules cancéreuses tumorales… Le patient est déjà angoissé après ces semaines passées de service en service, et le diagnostic du cancer, fatalement, tombe comme un couperet…

Le médecin généraliste ou spécialiste prendra en général beaucoup de précautions pour l'annoncer, mais certains professionnels sont encore très maladroits et brutaux. Leur attitude résulte parfois de mécanismes de défense qui s'expliquent par leur dénuement face à la maladie. Malheureusement, elle est blessante pour le patient. Elle peut se manifester de différentes manières : l'évitement, la banalisation, le non-dit, voire le mensonge, la fausse réassurance, la projection... Elle n'en est que plus douloureuse pour le malade qui, lui aussi, peut avoir des mécanismes de défense réactionnels à l'annonce de son cancer.

Le dispositif d'annonce

Dans tous les cas, le diagnostic reste pénible, mais aujourd'hui tout est mis en œuvre pour mieux former les équipes soignantes. C'est dans ce souci qu'apparaît le « dispositif d'annonce », mesure mise en place par le plan Cancer 2003-2007. L'idée est de permettre aux patients de bénéficier des meilleures conditions quant à l'annonce du diagnostic de leur maladie.

Le dispositif prévoit donc quatre temps de discussion et d'explication sur le mal et les traitements adaptés qui seront prodigués par le protocole.

• Le temps médical de l'annonce

Ce temps comprend deux consultations médicales.
Une première consultation (qui vous sera remboursée) est consacrée à l'annonce du diagnostic de cancer. Elle est réalisée par votre cancérologue, qui confirme le diagnostic

de la maladie. Cette révélation intervient parfois à mots couverts, pour ne pas trop heurter le patient : « Madame, nous avons trouvé une tumeur pas très jolie, un sarcome ou un carcinome (d'autres mots pour parler du cancer). Il va falloir opérer et traiter. » Certains se satisfont de cette approche, qui les aide à accepter le mal en douceur.

D'autres réclament, au contraire, la « vérité » au médecin : « Ne tournez pas autour du pot, docteur… j'ai un cancer. Quelles sont mes chances de m'en sortir ? » Or, à cette étape de la maladie, il est impossible aux professionnels de vous répondre. Leur esprit est simplement en ordre de bataille : mettre au point le protocole de traitement pour vous guérir est le seul questionnement qu'ils ont en tête. Ils vous expliquent à ce moment-là qu'une proposition de traitement adapté à votre cas vous sera faite après l'étude de votre dossier en Réunion de concertation pluridisciplinaire (RCP).

Une deuxième consultation permet ensuite au patient d'être informé des mesures prises par les différents professionnels qui vont l'accompagner, de poser les questions qui envahissent son esprit en termes de traitement, d'effets secondaires…

À cette issue, le patient reçoit ce que nous appelons le PPS : le Programme personnalisé de soins, qui indique les conduites thérapeutiques à tenir ainsi que les coordonnées des référents de toute l'équipe soignante.

Le médecin vous propose un programme de soins en vous expliquant les différentes étapes du traitement et sa durée théorique. Vous pouvez discuter de ce protocole dans le détail, l'accepter ou le refuser en demandant un deuxième avis. Évidemment, cette demande ne doit pas retarder la mise en œuvre d'un traitement rapide si cela est nécessaire. Mais c'est votre droit : vous pouvez consulter un autre service d'oncologie et accueillir un autre avis médical. Il vous faut alors obtenir la communication des éléments de votre dossier médical pour les soumettre au médecin auquel vous allez demander un deuxième avis.

• Le temps d'accompagnement soignant de l'annonce
Cette consultation paramédicale est un temps d'écoute et de soutien au cours duquel le soignant peut reformuler le discours du médecin, cerner les besoins psychologiques et sociaux du patient et revoir avec lui les traitements et leurs effets secondaires.

C'est aussi un temps de coordination avec les autres acteurs qui interviennent dans la prise en charge du patient. Il permet de faire l'interface entre les intervenants à domicile et le médecin traitant.

• L'accès à une équipe impliquée dans les soins de support
Cette équipe permet, en collaboration avec les équipes soignantes, de soutenir et de guider le patient dans ses

démarches sociales, de lui faire connaître ses droits et les aides sociales dont il peut bénéficier s'il en formule le souhait.

C'est également à ce stade que sont évalués les besoins en kinésithérapie, en diététique…

• Le temps d'articulation entre la médecine de ville et l'hôpital

Pour pouvoir jouer un rôle essentiel dans la prise en charge du patient, le médecin traitant doit être associé dès le début au projet thérapeutique et au parcours de soins du patient. Ainsi, la communication entre l'équipe soignante de l'hôpital et le médecin traitant doit être privilégiée.

Liens utiles

Pour connaître la mesure n°40 du plan Cancer 2003-2007, voir le site de l'Institut national du cancer : www.e-cancer.fr

À lire

Martine Ruszniewski, *Face à la maladie grave*, Paris, Dunod, 1995.

Pr David Khayat, Odilon Wenger, avec la participation du docteur Dominique Delfieu, *Guide pratique du cancer : s'informer, s'orienter, se soigner*, Paris, Odile Jacob, 2007.

Dire ou ne pas dire

Il n'y a pas une vérité, il y a de la vérité et du respect.

Témoignage

« Moi, j'ai joué les héroïnes et je l'ai regretté aussitôt. Au moment même où je regardais le chirurgien droit dans les yeux en lui disant que je tenais à ce qu'il me dise la vérité, toute la vérité, rien que la vérité sur mon cancer, j'ai su que s'il m'annonçait que j'allais mourir, je ne le supporterais pas. Comment supporter une chose pareille ? Heureusement pour moi, il a été plutôt rassurant, a parlé d'opération, de thérapies, d'avenir. Moi, je n'entendais que ce que je voulais entendre : s'il me parlait de me soigner, de traitements au long cours, c'est que je n'allais pas mourir. À partir de là, j'ai concentré mes forces et mon attention sur ce qui en valait la peine : guérir. Je me suis mise à vivre au jour le jour et je n'ai plus jamais réclamé qu'on me dise des vérités qui m'auraient démolie si je les avais entendues. » (Juliette, 65 ans.)

À partir de là, j'ai concentré mes forces et mon attention sur ce qui en valait la peine : guérir.

Pour le médecin, il n'y a pas une vérité. Il ne s'agit pas de dire ou de ne pas dire au malade qu'il est atteint d'un cancer. Il s'agit de savoir jusqu'où il dit. Il s'agit de sentir, de ressentir, de percevoir jusqu'où chaque malade, dans sa différence par rapport à un autre malade, peut avoir envie de connaître la vérité de sa situation. Il y a de la vérité et il y a du respect. Le respect, c'est la notion qu'il n'existe pas une vérité tout entière.

La relation patients-médecins

Le diagnostic

Comment lui annoncer son cancer, pense le médecin ? Comment l'accepter, se dit le malade ?

Voilà deux situations qui expliquent combien les approches de la maladie peuvent varier d'une personne à une autre. Il y a les médecins « rationnels », qui ne « prennent pas de gants » pour parler du cancer, du traitement. Ils restent souvent distants et secs parce qu'ils ne sont pas armés pour répondre à votre désarroi.

Les approches de la maladie peuvent varier d'une personne à une autre.

Certains soignants pratiqueront même l'« évitement », c'est-à-dire la fuite réelle ou déguisée, si vous sollicitez trop leur écoute ou leur contact. Ils s'intéresseront davantage à votre dossier « sur le papier » qu'à votre bonne mine et à votre moral...

Du côté des malades, nous trouvons les mêmes mécanismes de défense. Certains patients sont, par exemple,

dans le « déni total ». Ils ont confiance en leurs médecins et ils escamotent, par conséquent, toute menace de danger. D'autres malades contesteront le diagnostic et le traitement, autre manière de se protéger. Il y a ceux aussi qui veulent tout comprendre, tout rationaliser, tout maîtriser, parfois même à la place du soignant.
Enfin, certains patients vont s'immerger dans la maladie jusqu'à ne plus exister que par elle. C'est ce qu'on appelle « la régression ».
Le médecin devient le gourou tout-puissant, l'infirmière la bonne fée, et cette obsession qui se traduit par des comportements parfois puérils ou infantiles est difficile à gérer pour la famille.

« Docteur, il me reste combien de temps à vivre ? »
Question brutale mais parfois nécessaire pour les patients « pragmatiques » qui ont besoin de savoir pour s'organiser…
Reste que la question du « terme » est toujours très compliquée à résoudre pour les médecins qui doivent jouer de diplomatie face aux malades les plus fragiles.
Les psychologues rapportent les difficultés qu'ils ont à remettre sur pied des patients qui n'étaient pas préparés à entendre et à accepter leurs chances de survie :
« 3 mois/ 6 mois/ 8 mois »… Une sentence qui est souvent, d'ailleurs – jugez par vous-même –, très éloignée de la réalité.

Aujourd'hui, les oncologues prennent quand même beaucoup de précautions avant d'annoncer ce genre de chose aux patients. D'abord parce que, sauf en cas de mort imminente, ils ont toujours l'espoir de sauver le malade et qu'il existe toujours un nouveau traitement à tester. Ensuite parce que ce type de nouvelle peut faire plus de mal que de bien.

La relation parents-enfants

Il y a encore une dizaine d'années, le cancer restait tabou au sein même de la famille. Les psychologues n'ont plus compté alors le nombre de parents s'efforçant de faire croire à leurs enfants que « papa ou maman était en voyage » alors qu'il ou elle endurait les traitements à l'hôpital.

Il faut dire les choses pour conserver la confiance de l'autre au lieu que chacun vive sa douleur dans son coin et en silence.

La honte, l'impuissance, l'incapacité à expliquer la maladie ont souvent conduit à des situations absurdes et traumatisantes pour l'entourage.

Mais aujourd'hui, les médecins le martèlent à leurs patients : il faut dire les choses pour conserver la confiance de l'autre au lieu que chacun vive sa douleur dans son coin et en silence.

C'est vrai, il est difficile de parler du cancer à ses enfants, mais les professionnels (infirmières, psychologues) sont là pour vous aider à bien réussir la démarche (voir Enfant, p. 108). Quel que soit leur âge, les enfants perçoivent les préoccupations des parents et ils veulent la vérité.

À lire

Claudia Bossi-Bigard, *Vivre ensemble : comment parler aux enfants de sa maladie*, AVEC (Association pour la Vie-Espoir contre le Cancer).

Claudia Bigard, *Vivre ensemble 2 : comment parler aux enfants de la mort*, AVEC (Association pour la Vie-Espoir contre le Cancer).

Ces ouvrages sont disponibles gratuitement dans les centres de cancérologie.

Enfants

Le cancer bouleverse la vie de la famille entière et son intrusion modifie le quotidien, en particulier celui des enfants. Comment allez-vous expliquer la maladie à vos petits bouts de chou, qu'ils soient en âge de la comprendre ou pas ? Longtemps, le cancer est resté tabou au sein des familles ; désormais, tous les soignants s'accordent pour dire qu'il faut en parler pour mieux gérer le quotidien.

Expliquez la maladie en prononçant les vrais mots (cancer, chimio, rayons), car les petits scolarisés les auront déjà entendus. Décrivez autant que vous le pouvez les effets secondaires du traitement, notamment la chute des cheveux et la fatigue chronique du malade. Si l'un des parents doit être hospitalisé régulièrement, il faut que les enfants comprennent pourquoi et soient rassurés sur le rôle du médecin et de l'hôpital, d'autant qu'ils sont souvent interdits de séjour dans ces services spécialisés.
C'est une étape douloureuse pour la famille, et certains parents, pour mieux l'affronter, font appel à un psychologue.

« Maman : c'est quoi, le cancer ? »

• Expliquer la maladie et le traitement
Il existe de nombreuses histoires pour les enfants, sous forme de contes ou de BD, qui peuvent vous aider à leur parler de la maladie.
La psychologue Claudia Bigard a, entre autres, édité deux livrets illustrés qui vulgarisent le cancer afin de mieux l'expliquer. C'est vrai, la démarche est délicate : il s'agit de faire comprendre à un enfant que le cancer est une maladie même si les « bobos » ne se voient pas, puisqu'il

Les enfants sont souvent moins innocents qu'ils essayent de le paraître face à un parent malade. Un enfant qui va mourir n'est pas triste parce qu'il va perdre la vie. Il est triste de faire de la peine à ses parents. De la même manière, l'enfant montrera moins qu'il est inquiet ou triste de ce qui arrive à son père ou à sa mère, de peur que lui montrer qu'il sait le blesse. Les enfants ont souvent une réaction positive – un mécanisme de défense qui aura une conséquence sur leur développement futur si les choses ne sont pas dites. L'enfant a aussi un besoin de vérité. Si on n'a pas annoncé à un enfant qu'il va perdre son père ou sa mère, il y a des chances pour qu'il considère par la suite que cette personne l'a trahi, n'a pas eu assez confiance en lui pour lui dire la vérité. Mais il faut trouver les mots pour le dire sans le blesser par la violence même de l'idée de la mort. Le dire le plus en amont possible de façon à ce que la mort, quand elle survient, soit dans l'ordre des choses annoncées. Dès lors que la relation et le dialogue entre parents et enfants sont de qualité, les enfants adoptent une attitude très positive, à la fois dans la guérison et dans l'accompagnement, plus sereine qu'on pourrait s'y attendre, à l'approche de la mort.

nous attaque de l'intérieur. Claudia Bigard a donc inventé l'histoire de l'armée de cellules gentilles qui attaquent une armée de cellules méchantes, moins nombreuse mais très perfectionnée... Elle explique ainsi le combat avec des armes hypersophistiquées, notamment la chimiothérapie et la radiothérapie... Une histoire qui permet de « visualiser » la maladie pour la rendre plus compréhensible.

• Expliquer la perte des cheveux

N'oubliez pas de prévenir vos enfants que, pendant un petit moment, vous allez ressembler à Zizou, et que vous prendrez soin de changer un peu de look... Allez choisir avec eux, s'ils sont suffisamment grands, des foulards, des casquettes ou la perruque qui pourra leur plaire. Sachez qu'il faut bien les préparer à la perte des cheveux, qui peut être une épreuve difficile. Elle suscite parfois de la honte chez les enfants, dont certains refusent que leur maman ou leur papa vienne désormais les chercher à l'école.

• Expliquer la mort

Vous y serez, hélas, parfois confronté, et votre premier réflexe sera de protéger vos enfants en ne leur en parlant pas. Des statistiques ont prouvé qu'un enfant, de sa naissance à ses 18 ans, par le biais de son expérience, par exemple la perte d'un animal, dans ses lectures, dans les films et par les différents médias, côtoie 18 000 fois la mort... Il sait donc ce que c'est, même si elle n'a pas frappé son entourage. Rien ne sert alors de lui mentir. Les explications vagues, le langage flou ne parviennent finalement qu'à vous protéger, vous, adultes, sans donner de sens pour l'enfant, ce qui ne fait qu'augmenter son angoisse et son incompréhension.

En lisant ces lignes, vous comprendrez qu'il est fondamental de « dire », pour que vos enfants ne se sentent pas coupables du mal qui vous arrive et pour qu'ils vous accompagnent, en affrontant à leur manière la situation, même la plus dramatique. Il n'y a pas de manière idéale de parler de la mort aux enfants, mais le stade terminal du cancer d'un parent ou d'un proche est une situation à laquelle ils peuvent se préparer. Il leur faut, à eux aussi, un temps de deuil pour mieux accepter la situation. Efforcez-vous, une fois le choc de l'annonce passé, de leur présenter la mort d'un être aimé comme un phénomène injuste mais naturel. Il faut oser en parler, pour que la peine soit plus doucement partagée.

La réaction des enfants face à la maladie

Elle varie évidemment selon leur âge. Jusqu'à 2 ans et demi, un bébé aura tendance à se replier sur lui-même, à mal manger ou à moins bien dormir. Il aura besoin de câlins et de présence.

Jusqu'à 7-12 ans, les enfants ont le réflexe de se protéger davantage par des comportements hyperactifs ou agressifs, et ils poseront alors sans doute beaucoup de questions du genre : « Est-ce que moi aussi je vais tomber malade ? Est-ce que c'est ma faute si papa est malade ? » Rassurez-les, bien sûr, mais ne fuyez pas leurs questions.

Chez les adolescents, le rapport à la maladie est plus distant. Ils réagiront par une apparente indifférence. En fait, c'est une fuite qui traduit souvent leur incapacité à parler de la maladie avec leurs parents. Ils chercheront alors du réconfort à l'extérieur de la famille, près de leurs amis.

Sachez dans tous les cas qu'il est important pour les enfants de dialoguer avec vous et d'exprimer leurs sentiments : la colère, la peur, le doute…
Parfois, vous ne pourrez pas répondre à leurs interrogations : « Pourquoi maman est malade ? » Eh bien, n'ayez pas peur de leur dire : « Je ne sais pas. » Vos enfants pourront comprendre qu'il n'y a pas toujours d'explications à ce genre d'événements.

À lire

Claudia Bossi-Bigard, *Vivre ensemble : comment parler aux enfants de sa maladie*, AVEC (Association pour la Vie-Espoir contre le Cancer).

Claudia Bigard, *Vivre ensemble 2 : comment parler aux enfants de la mort*, AVEC (Association pour la Vie-Espoir contre le Cancer).

Katrine Leverve et Jérôme Cloup, *Anatole l'a dit*, éditions K'Noë, coll. « Une histoire pour expliquer une maladie », Sanofi-Aventis.

Cécile Faÿsse, *Qui Mange salade jamais malade !*, le cancer expliqué aux enfants, distribué gratuitement par les oncologues et les centres Any d'Avray.

Entourage

C'est toujours un moment difficile que celui de se retrouver dans un milieu globalement « contaminé ». Autour de vous, les patients en traitement vous rappellent à votre propre sort, et l'image de la maladie, parfois de la mort, vous démoralise. Vous aurez donc besoin d'être accompagné d'un proche dans ces moments difficiles qui vous replongent dans une réalité que vous voulez oublier lorsque vous êtes à la maison.

Votre époux, votre épouse, vos parents, vos enfants, vos amis seront votre soutien durant la maladie. En fonction de votre personnalité et de la phase du traitement, ils seront peut-être plus ou moins présents mais toujours là pour vous accompagner chez le médecin et réinterpréter, le cas échéant, les informations médicales…

À savoir

Selon la loi relative aux droits des malades (4 mars 2002, L. n° 2002-303), un proche ou un parent majeur peut être désigné comme « personne de confiance », lors d'une hospitalisation. Lorsque le patient le souhaite, la demande doit se faire par lettre écrite, signée et datée, et cette désignation est révocable.

Lorsque le patient le souhaite, la demande doit se faire par lettre écrite, signée et datée, et cette désignation est révocable.

À partir de ce moment, et durant toute la durée de l'hospitalisation (la désignation peut être prolongée), « la personne de confiance » peut accompagner le malade

C'est à elle, éventuellement, que les médecins pourront se confier en cas de pronostic grave.

dans ses démarches, assister à tous les entretiens médicaux, l'aider à bien comprendre ses examens, la nécessité de son séjour à l'hôpital, l'opportunité de son traitement, etc.

C'est à elle, éventuellement, que les médecins pourront se confier en cas de pronostic grave.

La plupart des établissements de soins vous proposeront un formulaire à remplir. Vous comprendrez à cet égard que la possibilité de désigner une personne de confiance témoigne de l'importance reconnue aux proches d'accompagner le patient dans les différentes étapes de sa maladie...

Liens utiles

Le réseau des malades et des proches

Il s'agit d'un lieu d'expression d'anciens malades et de proches de malades, créé par la Ligue nationale contre le cancer en 2001. Il a pour objectif d'améliorer la prise en charge et les conditions de vie des malades atteints de cancer. Vous pourrez contacter le réseau par l'intermédiaire de la Ligue ou de votre comité.

Ligue nationale contre le cancer
14, rue Corvisart, 75013 Paris
Tél. : 01 53 55 24 00
www.ligue-cancer.net

L'équipe de soins vous aura peut-être bien expliqué la maladie, son évolution et ses contraintes, mais vous chercherez toujours à en savoir plus et à partager des expériences. C'est un réflexe logique et normal. Il faut simplement vous en tenir à des sources fiables compte tenu du volume d'informations dont nous disposons aujourd'hui dans les brochures ou sur Internet.

Certains ouvrages, certaines associations et structures internes aux hôpitaux vous permettront de glaner de bons conseils. Vous pourrez également vous rendre dans les fameux ERI (Espaces de rencontres et d'informations).

Zoom sur les espaces de rencontre et d'information (ERI)

Ils sont nés à la demande des personnes atteintes d'un cancer. Leur mise en place s'est concrétisée en 2001.
Les ERI sont situés au cœur des établissements de soins ; ce sont des lieux d'accueil, d'écoute, d'échange et d'orientation vers des aides plus spécialisées des patients et des proches. Ils sont accessibles à tous, sans rendez-vous et tenus par une personne non soignante qualifiée d'accompagnateur.

Vous chercherez toujours à en savoir plus et à partager des expériences. C'est un réflexe logique et normal.

Liens utiles

Institut de cancérologie Gustave Roussy :
www.igr.fr
Sanofi-Aventis :
www.sanofi-aventis.com

Essais thérapeutiques

Dans certains cas précis, les médecins peuvent vous proposer de participer à un essai thérapeutique. C'est le moyen d'évaluer de nouveaux traitements contre le cancer qui ont déjà été longuement testés.

Avant d'y participer, une note d'information et un formulaire vous sont remis pour obtenir votre consentement libre, écrit et éclairé. Sachez qu'il est impossible d'être associé à un essai thérapeutique à son insu. Votre participation est libre et volontaire, vous pouvez accepter ou non et, bien sûr, quitter l'essai à tout moment.

Qui mène l'essai ?

C'est le médecin « investigateur », celui qui propose au patient d'y participer.

Dans un essai, le malade est entouré d'une équipe disponible pour l'écouter et l'informer, avec notamment un psychologue et l'appui du médecin traitant.

Quels avantages, quels risques ?

Tous les malades ne sont pas concernés par les essais cliniques, car il faut remplir un certain nombre de critères d'« inclusion », cela en raison du type ou de la taille de la tumeur.

Dans un essai, le malade est entouré d'une équipe disponible pour l'écouter et l'informer.

Ce qui est certain, c'est qu'en participant à un essai thérapeutique, vous avez souvent la possibilité d'avoir accès aux traitements les plus innovants. Vous bénéficiez également d'un encadrement spécifique et d'un suivi rigoureux et adapté pendant toute la durée du plan thérapeutique.

Votre participation est libre et volontaire, vous pouvez accepter ou non et, bien sûr, quitter l'essai à tout moment.

En revanche, comme la plupart des traitements, ces essais peuvent entraîner des effets secondaires. Ils sont en général connus et répertoriés, mais il peut arriver que certains symptômes, assez rares, n'aient pas encore été signalés.

Du coup, des examens pour rechercher les effets indésirables de l'essai risquent d'alourdir le poids du traitement pour le patient.
Encore une fois, le malade est libre de quitter l'essai à tout moment et le médecin peut lui proposer un autre traitement plus adapté.

Liens utiles

Institut national du cancer : www.e-cancer.fr Espace « les essais cliniques ».

Fatigue

Tous les patients le disent : c'est le symptôme numéro 1 des traitements contre le cancer. La fatigue est donc indissociable de la maladie et elle affecte profondément la vie quotidienne.

Précaution n° 1 : sachez distinguer les différentes causes de la fatigue

• La fatigue morale

Il y a d'abord la fatigue psychologique, le stress des analyses, les déplacements à l'hôpital, l'angoisse de l'attente avant les séances de chimio ou de radiothérapie. Il y a aussi la fatigue que l'on doit à la maladie, par le biais de la sécrétion d'hormones qui perturbent souvent le sommeil. Et puis, il y a tous les effets secondaires des traitements, qui épuisent littéralement le corps du malade (baisse du nombre de globules, anémie…).

• La fatigue physique : baisse du nombre de globules et plaquettes

En général, la fatigue est intense dans les premiers jours suivant les séances de chimio, mais elle s'amenuise progressivement lors des intercures. Cela dit, les traitements peuvent entraîner une baisse des globules blancs et rouges,

Le maître mot : « s'économiser »
Cela passe par des petites attentions et des changements de mode de vie auxquels vous comme vos proches deviendrez familiers. Par exemple, asseyez-vous autant que possible quand vous vous consacrez à des tâches ménagères, à un passe-temps ou à des activités au travail.
Vous pouvez aussi utiliser une table roulante ou un déambulateur pour vous soutenir physiquement et transporter des objets, ce qui vous permettra d'éviter les trop gros efforts de déplacement.
Surtout, n'oubliez pas : si vous n'arrivez pas à gérer cette fatigue physique et morale, vos parents, vos amis ou des associations de patients vous donneront du temps, de la présence et souvent de très précieux conseils.

responsable d'infections et surtout d'anémie, à l'origine d'une très grosse fatigue. Dans tous ces cas, la chute des globules, surveillée de près par les formules sanguines, sera prise en charge et traitée par votre médecin.
Reste la fatigue physique et morale que portent la maladie et les traitements. Ce n'est que lorsque vous connaîtrez la façon dont votre corps réagit que vous saurez quand trouver le « bon moment » pour reprendre le dessus.

• La fatigue musculaire
Vous avez alors la sensation d'être dans un corps de grand-mère accablé par les douleurs articulaires....

Que faire pour surmonter la fatigue ?

• Acceptez la transformation de votre corps
Jeune ou vieux, homme ou femme, il faut que vous acceptiez psychologiquement de vous trouver globalement affaibli à la fois par la maladie et par la dureté des traitements, et que vous ne pourrez pas tout faire

« comme avant, comme si de rien n'était ».

Vous devrez apprendre à mesurer vos efforts en équilibrant vos activités avec de longues phases de repos.

La fatigue liée au cancer ne se traduit pas, en effet, par de simples coups de pompe ; elle est souvent ravageuse, si bien que certains plaisirs, comme le fait de prendre un bain, peuvent devenir de véritables corvées. Ce sont toutes ces petites différences que vous allez devoir admettre. Dites-vous qu'il ne s'agit que de handicaps temporaires et cherchez à adapter votre vie quotidienne à ces inconvénients.
Vous pouvez, par exemple, sortir au cinéma ou au restaurant une fois par semaine, chaque fois que les effets de la chimio vous laisseront un peu de répit. Profitez de chaque jour et des moments où vous vous sentez plus vaillant pour partir en week-end à la mer ou à la campagne avec votre conjoint, vos enfants, chez des amis... Vous respirerez le bon air et prendrez quelques couleurs.

• **Apprenez à déléguer**

N'hésitez pas, en effet, à déléguer ou à partager des activités (les courses, les tâches ménagères, les déplacements) qui, le temps du traitement, peuvent devenir un fardeau.
Vous devrez apprendre à mesurer vos efforts en équilibrant vos activités avec de longues phases de repos et de relaxation. Là-dessus, tous les professionnels de la santé sont formels : il ne faut jamais chercher à se surpasser, à la maison comme au travail.

Fruits fibres légumes

Le cocktail des midinettes ? Pas seulement, car il est essentiel de penser à son alimentation, en prévention de la maladie, pendant le traitement, mais aussi lors de votre phase de guérison.

Certains médecins parlent même de « thérapie nutritionnelle ». On a pu mettre en évidence, par exemple chez les femmes, que la survie après un cancer du sein est en partie influencée par la quantité et la qualité de ses acides gras alimentaires. Un apport faible en graisses réduit la récurrence des tumeurs et le risque de métastases. De même chez les hommes, les chances de survie après un cancer de la prostate sont multipliées par trois chez les patients pour qui les lipides constituent moins du tiers de l'apport énergétique.

Surveiller son alimentation, c'est aussi prévenir la maladie.

Surveiller son alimentation, c'est aussi prévenir la maladie. Il est difficile de mesurer avec exactitude le rôle du facteur alimentaire dans l'apparition du cancer, mais les chercheurs estiment qu'il pourrait contribuer à 30 % des cancers chez les hommes et jusqu'à 40 % chez les femmes.
Nous le savons… pourquoi donc nous abstenir de quelques conseils bien nés que prodiguent les nutritionnistes au quotidien ?

1) Les fruits et les légumes nous protègent… en particulier parce qu'ils contiennent des vitamines, des minéraux et des composés bioactifs. Cinq par jour, dit le Plan national santé – 400 grammes en tout cas – sous la forme de fruits et de légumes frais, surgelés, en conserve, de potages ou de jus de tout ordre. Et le bénéfice d'une telle consommation est prouvé : 20 % des cancers (estomac, côlon, pancréas, sein, poumon, bouche, larynx) pourraient être évités.

2) Si vous êtes un bon vivant… variez les plaisirs… entre la viande rouge et les viandes plus maigres, les poissons et les œufs. Attention également à la charcuterie et à vos tendances éventuelles à trop saler ! Tout est une question de mesure pour préserver le côlon, l'estomac et le pancréas qui seraient trois fois plus exposés au cancer que si vous suivez une alimentation équilibrée.

3) N'oubliez pas les féculents (pain, riz, pâtes), les fibres (céréales – blé, orge, maïs – ainsi que les légumineuses – lentilles, haricots, fèves) et les légumes secs. Ils ont également de très grandes vertus protectrices. En général, ces aliments sont assez nourrissants et nous sommes moins tentés par des ajouts de sel et de sucre qui favorisent l'apparition des maladies.

4) Mesurez enfin votre consommation d'alcool ! Le vin est, certes, un art de vivre… mais sachez qu'avec plus de 6 verres de vin par jour vous multipliez par trois le risque d'un cancer du côlon ou du rectum…

Liens utiles

Aprifel : www.aprifel.com
PNNS : www.mangerbouger.fr
www.sante.gouv.fr/htm/pointsur/nutrition

Génétique

Le cancer ne « s'attrape » pas à proprement parler, mais certaines formes peuvent être héréditaires (5 % environ), en particulier les cancers du sein, de la peau ou du côlon : il s'agit là de situations dans lesquelles une personne a reçu de ses parents un gène anormal, dont la présence dans ses propres chromosomes entraîne un risque élevé (jusqu'à 90-100 % !) de développer un cancer.

Mais, au-delà de l'hérédité stricte, on estime que près d'un tiers des patientes soignées pour un cancer du sein ont un antécédent familial : c'est ce qu'on appelle une prédisposition familiale. Cette prédisposition familiale est mal comprise dans son mécanisme. Elle n'est, en tout cas, pas liée à la transmission d'un gène anormal de cancer et n'entraîne donc qu'une faible augmentation du risque (de quelques pour cents seulement).
Si votre maman ou vos sœurs ont développé la maladie et que vous ayez un doute, il vous faudra consulter un oncologue qui vérifiera votre prédisposition génétique en cherchant à mettre en évidence les gènes BRCA1/BRCA2 pour le cancer du sein.
Attention ! Sachez que vous pouvez être porteur de ces anomalies sans pour autant déclencher la maladie. Il faudra néanmoins surveiller les dérèglements hormonaux subis ou volontaires, comme lors d'une grossesse, pour limiter les risques de cancer.
Il existe également des tests génétiques pour dépister une prédisposition héréditaire aux cancers de la peau ou du colon. Tous ces tests seront préconisés au cours d'une consultation d'oncogénétique, aujourd'hui disponible dans la plupart des hôpitaux spécialisés.

On estime que près d'un tiers des patientes soignées pour un cancer du sein ont un antécédent familial : c'est ce qu'on appelle une prédisposition familiale.

Globules

Durant tout votre suivi médical et parcours de soins, vous remarquerez l'attention particulière du médecin sur vos analyses de sang. Car la fameuse « numération formule sanguine (NFS) » est un baromètre de votre état général et de la toxicité des traitements.

La prise de sang est un outil très précieux qui va permettre de donner des renseignements importants et qui va aider à poser un diagnostic, d'évaluer les conséquences de la maladie sur l'organisme et de mettre en place un traitement adapté.

Ces analyses sanguines régulières sont essentielles, car les traitements de chimiothérapie agissent directement au niveau de la moelle osseuse, où sont fabriqués les globules rouges, blancs et les plaquettes.

La prise de sang est un outil très précieux qui va permettre de donner des renseignements importants et qui va aider à poser un diagnostic.

Les examens biologiques usuels portent sur la fameuse NFS qui donnera des indicateurs sur les globules blancs et rouges ainsi que les plaquettes mais également des indicateurs hépatiques (le foie), rénaux (les reins), pancréatiques (le pancréas), lipidiques (en dosant le taux de cholestérol dans le sang). Une recherche des marqueurs tumoraux fait également partie de la batterie d'analyses sanguines ; en effet, si ces derniers sont élevés, cela indique une anormalité dans l'organisme, mais attention, ce n'est pas toujours lié à un cancer.

La baisse des globules blancs (leucopénie)

Ce sont ces globules qui protègent notre organisme contre

les infections. Et pourtant, ce sont aussi ces polynucléaires qui diminuent quasi systématiquement une à deux semaines après la chimiothérapie. Vous pouvez les considérer comme étant les soldats de votre système immunitaire. Pour information, le taux dit « normal » se situe entre 4 000 et 10 000/mm^3.

Que faire ?

Si le taux de vos globules blancs est bas avant la séance prochaine, votre cancérologue peut choisir de différer la cure, pour vous laisser le temps de vous reconstituer, car vous êtes alors sans défense immunitaire et plus sujet aux infections.
Chez certains patients, une infection suivie d'une fièvre pourra être traitée par votre médecin à l'aide de facteurs stimulant la remontée des globules blancs en injection sous-cutanée (pendant 4 à 10 jours). Dans tous les cas, sans rester prostré à la maison, il vous faut être raisonnable si vos globules blancs baissent de manière symptomatique ; il est essentiel de se protéger le plus possible des agressions, autrement dit, des virus extérieurs. Dès lors :
– Ne côtoyez pas vos enfants ou vos amis enrhumés ou grippés.
– Évitez les transports en commun qui sont des « nids à microbes » !
– Ne mangez pas trop de crustacés, d'aliments au lait cru, de charcuterie.
– Lavez bien les fruits et légumes, voire éventuellement épluchez-les.

– Évitez les viandes et poissons crus.
– Lavez-vous scrupuleusement les mains (avant et après le repas, avant et après chaque miction).

La baisse des globules rouges (anémie)

Les globules rouges ont pour but, grâce à l'hémoglobine qu'ils contiennent, de transporter l'oxygène dans le sang pour le distribuer aux tissus de l'organisme. Ils permettent aussi de nous indiquer la teneur en hémoglobine dans le sang.

Pour 50 à 60 % des malades traités pour un cancer, l'anémie est la première cause de fatigue.

L'anémie fait également partie de la surveillance médicale ; on peut parler d'anémie si le taux d'hémoglobine est inférieur à 13 g/dl chez l'homme adulte et à 12 g/dl chez la femme. Chez la femme enceinte, le taux minimal est fixé à 11 g/dl.
De manière générale, la chimiothérapie entraîne une chute plus ou moins marquée des hématies qui sont nécessaires au transport de l'oxygène dans l'organisme. On estime que pour 50 à 60 % des malades traités pour un cancer, l'anémie est la première cause de fatigue. Sachez qu'elle peut être traitée et soignée ; ne négligez surtout pas cette fatigue, sachez écouter votre corps et en faire part à votre médecin référent.

Les symptômes

L'anémie se traduit par une grande fatigue, qu'on appelle

en jargon médical une « asthénie » et la sensation d'être totalement « à plat ». Vous pourrez aussi éprouver des essoufflements (surtout à l'effort), mais aussi des pâleurs et des vertiges.

En effet, pour assurer une activité normale chez les malades souffrant d'anémie, le cœur va battre plus fort pour compenser la pénurie d'oxygène. On parlera alors de tachycardie.

Comment combattre l'anémie ?

Il y a quatre grands moyens de la traiter :

En modifiant son régime alimentaire

Il doit être sain et équilibré. Sachant que l'anémie se traduit d'abord par une carence en fer, il vous faut donc retrouver dans vos repas les nutriments essentiels pour la combattre (fer, acide folique).
Exemples d'aliments riches en fer et acide folique
• Fer : viandes rouges et abats, volaille, céréales complètes, pain complet ou aux céréales.
• Acide folique : foie, légumes secs (lentilles, haricots rouges et blancs, pois cassés), légumes frais, en particulier ceux à feuilles comme les épinards, la mâche, la salade verte, le cresson…

En augmentant son niveau en fer

Si votre régime alimentaire ne suffit pas à traiter l'anémie, votre médecin pourra vous prescrire un supplément de fer sous forme de pilules ou d'injections.

D'autres médicaments vont accroître la production de globules rouges

Sauf contre-indication, ils pourront vous être délivrés sur ordonnance par votre médecin. Ces traitements agissent sur la production de globules rouges par la moelle osseuse. L'érythropoïétine dite « EPO » est une hormone naturellement sécrétée par le rein et qui contrôle la production de globules rouges. Une série d'injections d'EPO peut vous être prescrite.

L'EPO a défrayé les chroniques sportives... mais cette hormone est utilisée par certains médecins là aussi dans la prévention ou le traitement de l'anémie. Et pour cause : ce traitement facteur de croissance permet d'augmenter le taux d'hémoglobine et le nombre de globules rouges.

La transfusion sanguine

C'est la méthode la plus radicale mais aussi la plus efficace qui est utilisée en cas d'anémie grave et chronique liée au cancer. La transfusion permet, en effet, d'augmenter très rapidement le niveau d'hémoglobine. Elle vous est administrée à l'hôpital lors d'une séance qui dure généralement une ou deux heures, et ce sous surveillance médicale. Bien évidemment, il y a un protocole médical et de pharmacovigilance à respecter en cas de transfusion.

À lire

Dominique Spaëth, *Anémie en cancérologie*, Paris, John Libbey Eurotext, 2001.

Charles Dumontet, *L'Anémie : comprendre, agir*, Lyon, Michel Servet, 2002.

Goût

Vous adoriez le riz cantonais mais, aujourd'hui, vous fuyez les restaurants chinois. C'est que ces odeurs de cuisine vous sont devenues franchement déplaisantes, jusqu'à vous donner la nausée… Pas de panique : les traitements, les médicaments et la maladie peuvent agir temporairement sur certains de vos sens en altérant le goût et l'odorat.

Vous recouvrerez bientôt toutes vos saveurs chéries ; en attendant, il vous faut apprendre à composer. Globalement, la maladie vous fait perdre un peu l'appétit ; par conséquent, vous sortez moins au restaurant et vous ne vous lancez pas toujours dans la grande cuisine. Pire : certains aliments vous semblent moins savoureux qu'avant, voire totalement différents. Le sucré ne sera pas assez sucré, quant à l'amer, au contraire, il vous paraîtra trop amer. Le temps de ces dégoûts passagers pour certains plats, il vous faudra adapter vos repas à votre nouvel état.

Comment améliorer votre perception du goût ?

Il va d'abord falloir expliquer à vos proches pourquoi vous ne dégustez pas avec plaisir cette compote de pommes ou ce poulet au citron. Les nutritionnistes sont pourtant unanimes pour dire qu'il faut se forcer un peu à manger, en privilégiant les aliments les plus neutres, comme le pain, les pâtes, les pommes de terre. Si vous n'avez pas envie de viande rouge, remplacez-la par une autre source de protéines, du poulet, des œufs ou du poisson. N'oubliez pas les boissons (jus de fruits, de légumes) qui ouvrent l'appétit. Dans la plupart des cas, l'alcool en petite quantité ne vous est pas proscrit…

Le goût et le dégoût : les solutions de rechange

• Si vous trouvez vos plats fades

Cuisinez des aliments au goût assez prononcé comme la charcuterie, le jambon cru, le saumon fumé, le fromage fermenté… Vous prendrez aussi l'habitude d'assaisonner vos plats avec des fines herbes, du persil ou de l'ail.

• **Si vous trouvez vos plats amers**
Il vous faut alors supprimer les viandes rouges et les remplacer par du poulet, du poisson poché, des œufs et des laitages.
• **Si vous trouvez vos plats sucrés**
Choisissez des desserts cuisinés sans sucre ajouté, comme les fruits pochés, les compotes nature, le fromage blanc sans sucre, la crème pâtissière sans sucre…
• **Si vous trouvez vos plats salés**
Cuisinez tout sans sel et évitez les aliments naturellement très salés comme la charcuterie, les gâteaux apéritif, les soupes préparées…
• **Si vous avez un goût de métal dans la bouche**
Les poissons, les œufs, les laitages, les aliments neutres comme le pain, le riz ou les pâtes auront votre préférence. Évitez les viandes rouges et n'hésitez pas à commencer votre repas par du pamplemousse ou des fruits crus pour tuer cette impression de goût métallique.
• **Si vous êtes dégoûté par la viande rouge**
Remplacez-la par du poulet, du jambon, des œufs.
• **Si certaines odeurs vous écœurent,** il vaut mieux alors préparer des repas froids, de bonnes salades composées avec des variations selon les saisons, toujours agréables à préparer, des assiettes de fromage ou de charcuterie.

Enfin, n'oubliez pas ! Si vous traversez une phase intense de dégoût, des compléments alimentaires vous seront indispensables pour éviter toute dénutrition. Ils vous apporteront les calories et les protéines dont vous avez besoin.

Guérison

Objectivement, la guérison, ce n'est que la rémission qui dure. Techniquement, la rémission, c'est la disparition de tout signe de maladie. La rémission est la condition indispensable, même si elle n'est pas suffisante, pour obtenir la guérison. La guérison ne promet pas l'immortalité. La guérison, ça signifie que ce patient dit guéri n'a pas plus de chances de mourir de son cancer pour son âge qu'un individu du même âge de mourir d'une autre cause. La guérison, c'est le rêve de tous les malades. Une espèce de diamant précieux que tout le monde recherche et qui est rare. C'est aussi un mot qu'il faut de moins en moins hésiter à utiliser dans la cancérologie moderne.

Témoignage

« Cette histoire de rémission, j'ai eu du mal à la gober. Moi, je voulais qu'on me dise que j'étais guéri. Point final. Il m'a fallu du temps pour admettre que tout allait bien, mon cancer était comme on dit en rémission, mais que je devrais rester sous surveillance. Ce qui sous-entendait que le cauchemar restait dans les marges de ma vie. Il pouvait resurgir à n'importe quel moment. Il faut apprendre à vivre avec ça. Le cancer est un vrai cancer. Une saleté qui ne pardonne pas. On ne s'en débarrasse pas comme ça. Même quand tout va bien, quand le pire est derrière soi, quand on se remet à croire à l'avenir, il faut accepter l'idée que la récidive est toujours possible. Mais cette fois, je le tiens à l'œil. Il ne me prendra plus par surprise. » (Jean-Paul, 48 ans.)

« La vie n'est qu'une longue guérison. » (Sean Penn.)

Beaucoup de patients s'interrogent : « Guérit-on du cancer ou est-on simplement en rémission prolongée ? »

Il faut savoir qu'un cancer sur deux « guérit », c'est-à-dire que pour un malade sur deux, il ne rechutera jamais.

Mais pour les médecins, on ne peut vraiment penser en termes de « guérison » qu'après 5 ans, car les rechutes apparaissent le plus souvent dans les premiers mois, voire les premières années suivant la fin du traitement.
Du coup, après votre dernière séance de chimio ou de radio, la plupart des soignants parleront de l'avenir de manière détournée : ils vous laisseront « souffler un peu », quelques mois avant de nouveaux examens de contrôle.
Vous êtes entré dans la phase de la « rémission » : la tumeur s'est atténuée quand elle n'a pas disparu et les éventuels symptômes de la maladie cessent de vous handicaper. En apparence, vous semblez guéri, mais à ce stade, encore une fois, les médecins ne peuvent pas vous garantir une rémission totale et définitive. Ils restent prudents et rationnels et décident donc de vous « revoir », après une pause de quelques semaines.

La guérison, c'est le rêve de tous les malades. Une espèce de diamant précieux que tout le monde recherche et qui est rare.

C'est donc à la fois une période d'incertitude et de renouveau qui s'offre à vous. Tout en prenant soin de ne pas vous épuiser, vous allez pouvoir organiser, positivement, un futur proche : partir en vacances en famille, reprendre vos activités, pour oublier un peu la maladie et la lourdeur du traitement qui y est désormais associée.

Mais paradoxalement, le combat n'est pas terminé. C'est la raison pour laquelle les médecins manient cette précaution de langage et parlent de « rémission ». D'ailleurs, pour certains types de cancers (le sein, notamment, avec l'hormonothérapie), les patients continueront à recevoir des soins plusieurs mois, voire plusieurs années après la fin du traitement initial.

Pour tous les autres cas, les médecins vont observer un suivi très rigoureux (examens cliniques, clichés radio). Ils veilleront régulièrement à la menace de la récidive, en particulier sur des organes qui n'étaient pas prévisibles, avec des visites périodiques : d'abord tous les trois mois, puis une fois par an et une fois tous les deux ans...
Plus les visites s'espacent, plus les examens sont positifs, plus vous vous approcherez d'une rémission complète et plus se profilera l'espoir de la « guérison ». Pendant tout ce temps « d'attente », où il faudra apprendre à ne pas faire de la maladie une obsession, vous pouvez être accompagné par votre médecin traitant. Il suivra près de vous les différents comptes rendus d'analyses et il vous guidera aussi, psychologiquement, à mieux appréhender le futur.

À lire

David Khayat, *Les Chemins de l'espoir : comprendre le cancer pour l'éviter et le vaincre*, Paris, Odile Jacob, 2003.

Hospitalisation à domicile

L'hospitalisation à domicile peut être une bonne formule d'accompagnement et de soins si vous voulez retrouver votre maison, vos repères et votre intimité sans être « vécu » comme une contrainte pour vos proches. L'HAD vous offre une prise en charge dans votre environnement quotidien.

De même que les services de soins infirmiers à domicile (SSIAD), elle constitue une modalité alternative à l'hospitalisation classique. Avec une HAD, vous bénéficiez d'une prise en charge à la fois médicale, paramédicale et sociale chez vous, sans modifier votre quotidien. Tous les soins techniques vous sont prodigués par les infirmières de l'HAD et révisés selon l'évolution de votre état de santé.

Mise en place de l'HAD

L'équipe médicale s'articule essentiellement autour de votre médecin traitant. Le généraliste joue, en effet, un rôle majeur dans le suivi et la prise en charge de votre cancer. Fort heureusement, il existe aujourd'hui une baisse de la durée et du nombre des hospitalisations traditionnelles, ce qui renforce son rôle pour les traitements ambulatoires et le maintien à domicile. C'est lui qui coordonne les interventions à domicile des personnels paramédicaux et sociaux, des infirmières aux kinésithérapeutes en passant par les diététiciens ou les esthéticiens.

L'HAD est gérée par les établissements de santé publics ou privés ou par des associations qui, en général, passent

une convention avec les établissements de santé. Elle est placée sous la responsabilité du médecin traitant et fonctionne évidemment tous les jours, vingt-quatre heures sur vingt-quatre, avec des personnels médicaux, paramédicaux et administratifs. Avant l'admission d'un patient en HAD, une enquête sociale vient vérifier que son logement est bien compatible avec une prise en charge à domicile.
L'HAD doit être prescrite par le médecin hospitalier ou le médecin traitant, avec l'accord de l'entourage du patient. Ensuite, le projet thérapeutique est établi en fonction de ses besoins médicaux et psychosociaux.
À partir de ce moment, le patient reçoit à domicile les traitements et les soins dont il a besoin, jusqu'à la chimiothérapie. Le médecin coordonnateur veille à la bonne exécution du protocole médical et un cadre infirmier s'occupe de la coordination des interventions par les personnels non médicaux et assure la liaison entre les divers intervenants de l'HAD.

Quant au médecin traitant, il a un rôle central dans le suivi des soins ; il peut décider de réajuster le traitement en collaboration avec l'équipe soignante et le médecin coordonnateur.

Prise en charge de l'HAD

L'hospitalisation à domicile est entièrement prise en charge. En revanche, le malade doit payer directement le médecin avant de se faire rembourser par la Caisse primaire d'assurance maladie. Sachez que certains médicaments peuvent vous être facturés en plus.

Une alternative à l'HAD : les Services de soins infirmiers à domicile (SSIAD)

Ces services sont ouverts aux personnes d'au moins 60 ans présentant un handicap et atteintes de pathologies chroniques ou d'Affection longue durée (ALD) comme le cancer. Les SSIAD peuvent être gérés par des organismes publics ou privés comme les associations, les centres communaux d'action sociale (CCAS), les Centres de soins infirmiers. Ils sont coordonnés par une infirmière qui supervise l'équipe d'aides-soignantes et les intervenants médicopsychologiques.
Chacune de ces structures possède un nombre de place limité. Vous pouvez en bénéficier sur prescription médicale de trente jours, renouvelable tous les trois mois en lien avec le médecin conseil de la Caisse primaire d'assurance maladie. Toutes les prestations prescrites dans ces services sont prises en charge à 100 %. Vous pouvez vous renseigner à votre mairie, où l'on vous indiquera les services à saisir si vous êtes intéressé par cette option.
Si vous souhaitez en savoir plus, les associations de malades ainsi que les assistantes sociales seront votre meilleure aide.

Liens utiles

Fédération nationale des établissements d'hospitalisation à domicile.
www.fnehad.asso.fr
Caisse primaire d'assurance maladie de votre département pour vous faire accompagner dans ces démarches.
www.ameli.fr

Hôpital

L'hôpital, vous y êtes passé en structure de jour et vous y avez certainement dormi pendant les phases les plus éprouvantes de votre traitement. Il est tentant désormais d'y associer une image qui vous donne la nausée, les odeurs de piqûre, l'attente, mais aussi la guérison…

Vous aurez croisé des médecins, des infirmiers et des équipes de spécialistes dont la vocation n'est autre que de vous sauver et de vous soulager.
Pour les patients qui ont vécu un long temps d'hospitalisation, avec la rémission vient la phase du « retour à la maison ». C'est à la fois un moment magique et très difficile lorsque l'on est encore sous le coup des effets du traitement et que l'on retrouve la vie d'avant... Tout va très vite et vous vivez encore au ralenti.
Pour les personnes les plus faibles et les moins bien entourées, il est important de passer par une phase de réadaptation en douceur, dans une structure spécialisée, avant de retrouver la maison...

Bien gérer « l'après-hôpital »

À votre sortie d'hôpital, il vous sera remis un bulletin de situation avec la date d'entrée et de sortie, que vous adresserez à votre Caisse primaire d'assurance maladie ainsi qu'à votre mutuelle et votre employeur. C'est un document qui tient lieu de justificatif en cas d'arrêt de travail.
À votre sortie de l'établissement de soins, si votre état de santé et votre situation familiale ne vous permettent pas un retour immédiat au domicile, il est possible d'accéder à certaines structures d'accueil pour des périodes plus ou moins longues selon l'évolution de votre état. L'après-hospitalisation peut être organisée par l'équipe médicale aidée de l'intervenant(e) social(e) du service : ils pourront ainsi étudier, avec vous, la prise en charge la mieux adaptée.

Les services de soins de suite et de réadaptation

Ce sont des structures qui vous accueilleront pour des séjours plus ou moins longs, à la fin des traitements.
Ces services vous permettront de vous reposer dans un lieu calme et adapté à vos capacités d'autonomie. Une prescription est absolument nécessaire. Les services de soins de suite ou de réadaptation (SSR) s'adressent à des malades requérant des soins continus et comportent une importante dimension éducative et relationnelle. Ils sont mis en œuvre dans un but de réinsertion globale des malades. Leurs fonctions principales s'articulent autour de l'éducation du patient et de son entourage, d'une poursuite de soins et du traitement, de la prise en compte des « handicaps physiques » et de l'état de santé physique et psychologique du patient, mais surtout autour de la préparation à la sortie et à la réinsertion.
Le séjour sera pris en charge par votre Caisse primaire d'assurance maladie, vous n'aurez qu'à payer le forfait journalier. Cependant, renseignez-vous auprès de votre mutuelle complémentaire, car certaines prennent en charge ces frais supplémentaires.

Le foyer-logement

Il s'agit d'une location d'appartement en résidence pour personnes âgées d'au moins 60 ans. Pour accéder à ces structures, vous devez être autonome ; de plus, sachez que certains frais restent à votre charge au même titre qu'un logement classique : loyer, électricité, gaz, charges locatives…
Vous avez la possibilité d'obtenir sous certaines conditions

une allocation logement auprès de votre Caisse d'allocations familiales.
N'oubliez pas que l'assistante sociale de l'établissement de soins peut également vous fournir des informations supplémentaires sur ce type de structures, voire initier avec vous la demande de foyer-logement.

La maison de retraite ou de long séjour

Ce sont des structures qui accueillent des personnes âgées de plus de 60 ans ne pouvant plus assumer seules les tâches de la vie quotidienne et dont l'état de santé nécessite des soins. Les maisons de retraite sont payantes mais renseignez-vous bien, car vous pouvez prétendre à une allocation logement (APL) ou à une allocation personnalisée à l'autonomie (APA) : ces prestations sont versées par la Caisse d'allocations familiales.
Il est également possible de prétendre à une prise en charge financière au titre de l'aide sociale si l'établissement souhaité est conventionné ; cela dépend des revenus et ressources du demandeur et de ses descendants. Renseignez-vous auprès du Centre communal d'action sociale (CCAS) de votre ville.

À lire

Marie-Frédérique Bacqué, *Cancer et traitement : domicile ou hôpital, le choix du patient*, Paris, Springer (France), 2006.

Liens utiles

www.ameli.fr : pour connaître vos droits et les différentes démarches selon la situation médicale.

Hormones

Dans un certain nombre de cancers (sein, prostate), c'est un dérèglement hormonal qui est responsable de la prolifération des tumeurs. On parle donc des hormones à différents stades de la maladie.

D'abord, dans les traitements avec ce que l'on appelle l'« hormonothérapie », prodiguée dans les cas de cancer du sein et de la prostate. Elle a pour objectif de supprimer l'activité hormonale qui est à l'origine de la prolifération de certains cancers (sein et prostate, essentiellement). L'hormonothérapie va donc agir comme une « anti-hormone » au niveau du récepteur de la cellule cancéreuse ou de la glande responsable de la sécrétion d'hormone.
D'autres traitements vont bouleverser la physiologie hormonale, de la femme en particulier. La chimio provoque, par exemple, une modification du cycle avec des règles irrégulières, très faibles ou au contraire abondantes. Elle peut même les arrêter parfois.
D'autres effets secondaires ressemblent étrangement à la ménopause (bouffées de chaleur, sécheresse vaginale ou vulvaire) mais ils ne dureront que le temps de la chimio. Si cela ne vous est pas contre-indiqué, vous pourrez alors utiliser des traitements locaux (à base de gels, de crèmes ou de lubrifiants). Ils atténueront vos sécheresses vaginales et rendront les rapports sexuels plus agréables.

Liens utiles

Pour en savoir plus au sujet du cancer du sein :
www.glaxosmithkline.fr

Humour

« Docteur, vous m'avez dit Poissons ? Gémeaux ? Taureau ? Je ne me souviens plus de ce que j'ai...

– Cancer, madame, cancer... »

La maladie est rarement à la une des one man shows, et il est rare que les humoristes multiplient les gags sur le cancer à la radio ou à la télé. Pourtant, rire de son mal est une arme bien affûtée pour se protéger et garder le moral.

Cela ne signifie pas que l'on prend la maladie à la légère, mais que l'on se sert du rire pour chasser la tension. Lorsque nous rions, notre cerveau libère en effet des substances chimiques qui détendent nos muscles et améliorent notre humeur. Vous avez tous déjà constaté, d'ailleurs, à quel point il est bon de rire devant un film comique !

Mettez de la lumière dans votre vie et dans votre cœur, ces petites touches d'optimisme vous aideront à garder le sens de l'humour…

Il est d'autant plus recommandé de se ménager des petites plages d'humour que cette maladie obsédante et pernicieuse peut très rapidement devenir l'unique sujet de conversation. C'est là que vos amis et votre entourage seront d'un grand secours en vous changeant les idées et en luttant contre cette obsession.

À la maison, n'hésitez pas à regarder des films comiques, à lire des bandes dessinées colorées et gaies, à décorer votre appartement de fleurs chatoyantes et à troquer les vêtements noirs pour des parures de couleur. Mettez de la lumière dans votre vie et dans votre cœur, ces petites touches d'optimisme vous aideront à garder le sens de l'humour…

Cancer and the City, de Marisa Acocella Marchetto, ou la chronique d'une femme et de son cancer

Sur la couverture d'un violet électrique, le titre se détache en lettres pailletées. *Cancer and the City* joue la ressemblance avec la série américaine quasi éponyme qui régale les après-midi des jeunes femmes des deux côtés de l'Atlantique. Cette fois, l'héroïne est seule en scène et son histoire n'est pas une fiction. Marisa habite New York et, à 43 ans, elle est au sommet de sa vie amoureuse et professionnelle. Illustratrice au *New Yorker* et à *Glamour*, la célibataire aguerrie a enfin trouvé l'homme de sa vie et s'apprête à se marier. Mais tout bascule lorsqu'elle apprend qu'elle est atteinte d'un cancer du sein. Alors, entre rires et larmes, au gré d'un graphisme décapant, proche de l'univers de Spiderman, elle raconte en BD son combat quotidien contre la maladie, ses doutes comme ses interrogations. *Cancer and the City* est un drôle de journal de bord qui raconte onze mois de la vie d'une femme. C'est vif et coloré, comme les rouges à lèvres de Marisa, qui se rend aux séances de chimio avec ses chaussures à talons dernier cri. C'est touchant et plein d'amour, celui de sa mère, de ses amis et de son futur mari. C'est optimiste, et l'humour qui s'en détache nous amène à rire même de la maladie, à garder le moral et à voir la vie de toutes les couleurs, pour être plus forts que le cancer…

Liens utiles

Marisa Acocella Marchetto, *Cancer and the city*, Paris, L'Iconoclaste, 2007.

www.editions-iconoclaste.fr

www.cancervixen.com

Image

À certains stades de la maladie, vous vous sentez peut-être différent et vous avez le sentiment que le monde autour de vous est témoin de votre métamorphose. Vos médecins et vos proches devront alors vous rassurer et vous inciter à prendre soin de vous et de votre image pour reprendre goût à une vie sociale et retrouver une certaine harmonie.

C'est notamment le rôle des « conseillers en image » qui permettent de se réapproprier un corps bouleversé par la maladie avec des moyens souvent très simples.

L'action de Marie-Laure Allouis, infirmière conseil en image et présidente de l'association APIMA (APprivoiser son Image dans la MAladie)

Sa démarche est née d'un constat qui pourrait être celui de toute personne faisant partie de l'entourage des malades : la gêne que suscite la maladie chez les patients et les visiteurs, à cause des marqueurs « physiques » de la maladie (perte de cheveux, perte ou prise de poids...). Certains malades en arrivent à ne plus se regarder dans un miroir et entretiennent un rapport violent et complexé à leur corps qui entraîne parfois la dépression ou l'anorexie.

Vos proches devront alors vous rassurer et vous inciter à prendre soin de vous et de votre image pour reprendre goût à une vie sociale.

Devant cette réalité, Marie-Laure Allouis a décidé d'intervenir pour aider les patients à reconquérir leur identité. L'association APIMA propose donc des séances look et maquillage ainsi que des conseils en images : d'une grande utilité également sur le plan moral pour les hommes et les femmes qui auraient besoin d'une autre forme de soutien psychologique.

Certains malades en arrivent à ne plus se regarder dans un miroir et entretiennent un rapport violent et complexé à leur corps qui entraîne parfois la dépression ou l'anorexie.

À lire

Marie-Laure Allouis, *Soigner son image pour mieux vivre son cancer*, Paris, Apima.

Liens utiles

Association APIMA
Marie-Laure Allouis
11, square Auguste-Renoir - 75014 Paris
www.apima.fr

La Cosmetic Executive Women
CEW France
120, avenue Charles-de-Gaulle - 92522 Neuilly-sur-Seine
Tél. : 01 72 92 06 40 - http://cew.asso.fr

Une autre association d'inspiration américaine (« Look good... feed better » aux États-Unis) vous propose des ateliers coiffure et maquillage.
La vie de plus belle
33, avenue des Champs-Élysées - 75008 Paris
Tél. : 01 56 69 67 89
www.laviedeplusbelle.org

Internet

En 2007, nous étions 53 % en France à avoir une connexion Internet à la maison, et l'on estime qu'un tiers des Français a recours à l'« e-santé », autrement dit, les informations à caractère médical sur le net. C'est dire combien cet outil s'affirme comme une source d'informations.

Les sites des grandes associations de lutte contre le cancer mettent à votre disposition des fiches pratiques et des conseils pour vous aider à surmonter la maladie. Que dire des centaines de forums de discussions qui fleurissent sur le net et permettent de créer du lien entre les malades ?

Internet est notamment un allié précieux pour les jeunes patients qui trouvent dans les « blogs » ou les « chats » des témoignages et des expériences qui peuvent les aider à se sentir moins seuls face à la maladie. On peut discuter anonymement et sans tabous grâce aux pseudos que l'on emprunte sur la Toile.

On peut discuter anonymement et sans tabous grâce aux pseudos que l'on emprunte sur la Toile.

Il suffit d'aller faire un tour sur les forums spécialisés pour voir combien les problèmes liés à la maladie – le choc du diagnostic, la dépression au travail, la peur de ne pas se relever – sont abordés facilement par les uns et les autres. Vous trouverez dans ces forums de discussions des oreilles attentives, des aides bienveillantes qui vous répondront et vous rassureront au moyen de leurs expériences.

Tous les malades le disent : il faut mettre des mots, il faut apprendre à dédramatiser son parcours face à la maladie et ne jamais perdre de vue que la vie, derrière, bien que difficile, doit se croquer encore à pleines dents. Et lorsque vous vous sentirez désemparé, si vous n'êtes pas accompagné par un psychologue, vous aurez toujours la possibilité de raconter votre histoire sur le net.

Cela dit, il faut apprendre à utiliser et à recevoir toutes les informations médicales sur Internet avec prudence et parcimonie. Les sites que nous évoquons dans cet ouvrage sont des portails sérieux, mais il est souvent tentant de passer d'une page web à une autre et de perdre, ce faisant, la fiabilité de l'info. Ainsi, pour rassurer les internautes, la Haute Autorité de santé a décidé de confier à la fondation « Health on the net », la certification des sites de santé. Près de 6 000 d'entre eux à travers 72 pays ont déjà reçu le label « HON@CODE » qui s'affiche comme un gage de confiance.

Liens utiles

Blog : www.femmesavanttout.com ou « comment mieux vivre sa féminité dans la maladie ».

www.e-cancer.fr : le site de l'INCa. Voilà un site qui rassemble toutes les informations sur les cancers en fonction de l'organe touché. Vous trouverez aussi les informations liées aux problèmes de santé publique (plan Cancer, dépistage...) et des essais cliniques.

www.sor-cancer.fr : depuis 1998, ce site vous permet de consulter les différents traitements et examens afin d'en connaître leur portée et leurs bénéfices. Toutes ces informations sont issues de documents scientifiques élaborés par des experts spécialistes du cancer. Le programme « SOR savoir patient » élabore également des guides d'information sur les différents cancers. Les Standards et les options recommandation (SOR) permettent de connaître les examens et les traitements à disposition ainsi que leurs bénéfices.

www.arc.asso.fr : tous les cancers.

www.canceronet.com : un site très documenté à destination du grand public comme des professionnels de la santé. Informations générales, conditions des traitements et petits conseils sont là pour vous aider.

www.frm.org : la Fondation pour la recherche médicale ; ce site vous donne accès aux dernières actualités sur la recherche contre le cancer.

www.cancerdusein.org : cancer du sein ; méthode de prévention et facteurs de risques.

www.uropage.com : cancers de la prostate et de la vessie.

www.esculape.com : cancer de l'ovaire.

www.sanofi-aventis.com : cancers du sein, de la prostate, du poumon et colorectal.

www.roche.fr : informations sur le cancer en général.

Irritations buccales

La chimio peut causer des « stomatites » ou des « mucites », qui sont des sortes d'inflammations ou d'ulcères buccaux. Ces lésions s'apparentent parfois à des taches blanches assez douloureuses sur la langue et la membrane muqueuse. Une rougeur et un gonflement à la commissure des lèvres peuvent aussi apparaître.

Ces stomatites se soignent et s'apaisent, mais vous pouvez anticiper leur apparition avec quelques conseils d'hygiène assez simples à respecter :
– Surveillez toutes les modifications du goût dans la bouche et des perceptions gustatives.
– Faites des bains de bouche régulièrement pour garder vos dents et vos gencives saines. Nettoyez votre bouche moins d'une demi-heure après avoir mangé et toutes les 4 heures en temps de veille.
– Protégez vos lèvres contre le dessèchement avec des crèmes du type vaseline.
– Retirez votre dentier pour la nuit afin de laisser reposer vos gencives.
– Évitez l'alcool qui irrite et préférez des nectars de fruits, sirupeux, à base de poire, de pêche ou d'abricot.
– Ne mangez pas d'aliments épicés, trop acides ou trop agressifs (biscottes) et préférez des aliments neutres que vous consommerez tièdes ou frais (potages, purées, yaourts, œufs, flans...).
– Sauf contre-indications, vous pouvez boire près de 3 litres d'eau par jour.
N'hésitez pas à fractionner votre alimentation si vous n'avez pas assez faim pour faire un repas complet.
Pensez à boire tout au long de la journée.

Menu type :
– Soupe froide à base de concombre
– 2 tranches de jambon + purée de pommes de terre tiède
– 1 yaourt au lait entier
– 1 banane
Eau et pain

Larmes

Mes patients, je les vois au bord des larmes. Sous le coup de la nouvelle, ils se raidissent, se concentrent pour les retenir. Question de dignité. C'est le temps du premier combat, héroïque, contre soi-même. Le lieu de la première pudeur, des premiers retranchements, contre lesquels il faudra lutter pour s'en sortir.

Dès qu'ils ont franchi ma porte, je les entends éclater en sanglots dans le couloir. Et c'est une bonne chose. Les larmes, il faut que ça sorte. C'est l'expression naturelle de la douleur. Et nous, nous sommes déterminés à nous battre de toutes nos forces pour qu'ils sortent indemnes de cette vallée de larmes et qu'ils retrouvent au plus tôt des raisons de rire et de sourire à la vie.

Témoignage

« Dans toutes les larmes s'attarde un espoir. » (Simone de Beauvoir.)

« Moi, je ne pouvais pas pleurer. J'aurais bien voulu, pourtant. Ça m'aurait fait du bien. Je me sentais pleine de larmes, ça m'étouffait, mais ça ne débordait pas. Le pire, c'est que ça bloquait tout le monde autour de moi. Mon mari, mes enfants, mes copines. Tout le monde faisait semblant d'avoir du courage. À force de ne pas pleurer, c'était comme si je n'avais plus le droit de pleurer. De me laisser aller. C'est une inconnue, une aide-soignante, qui m'a pris la main et m'a dit : "Oui, je sais, c'est trop dur." Le barrage a lâché. Ça a été les grandes eaux. Mais c'est à partir de ce moment-là que cette boule énorme de larmes que j'identifiais à mon cancer a disparu. À partir de là, je crois que j'ai commencé à guérir pour de bon. » (Odile, 56 ans.)

Les larmes ne sont pas un signe de faiblesse. Au contraire. Il faut les prendre pour ce qu'elles sont : un signal de douleur, un moyen de communication avec l'entourage, les proches et les soignants. Comme l'expression d'une souffrance intime, quel qu'en soit le degré ou la cause. Il y a une dignité des larmes. Il devrait y avoir un droit aux larmes, presque une thérapie des larmes, comme il y en a une du rire.

S'autoriser à pleurer, pour partager ce que l'on ressent.

Pleurer, c'est permis ! C'est même recommandé. S'autoriser à pleurer, pour partager ce que l'on ressent. Lâcher prise et laisser s'épancher son chagrin dans les pleurs pour mieux maîtriser une situation qui nous dépasse de toute façon. Exprimer sa douleur mais aussi son appréhension, son angoisse, ses émotions est bon autant pour soi que pour les autres. Le pire serait de dénier au cancer ce pouvoir de vous atteindre dans votre chair ainsi que dans tout ce qui tisse votre existence jusqu'au jour J où vous avez appris que vous alliez devoir vous battre contre lui.

Pleurer, c'est appeler au secours. Il n'y a aucune honte à cela ! Le ridicule ne tue pas. Les larmes non plus. Se laisser aller jusqu'aux larmes, c'est le début de l'acceptation de ce qui vous arrive. Il y a les larmes des premiers jours, réponse au choc de l'annonce du cancer. Il y a les larmes de peur face aux traitements, les larmes de douleur quand ça fait vraiment mal – ce qui peut arriver, mais ce n'est pas non plus une fatalité. Il y a les larmes que l'on veut cacher à ceux que l'on aime, à son conjoint, à ses enfants. Les pleurs peuvent être incontrôlables ou trop bien contrôlés. Il faut trouver le juste milieu entre contenir ses larmes et les refouler. La maîtrise apparente dont certains font preuve est un mécanisme de défense qui leur fait plus de mal que de bien. Laisser couler ses larmes, c'est évacuer le stress de la douleur. C'est le moyen le plus simple de signifier que l'on souffre, de réclamer de l'aide pour ne pas s'enfermer dans l'insoutenable solitude de l'être.

Pour sortir de ce torrent de larmes, les psychologues sont des soutiens précieux. Leur aide est valable pour le patient, mais aussi pour son entourage, parce qu'ils connaissent les mécanismes intimes et parce qu'ils ont le recul de l'anonymat. Il sera donc plus facile de s'abandonner devant eux. N'hésitez pas à les consulter, à l'hôpital comme en hospitalisation de jour. Ils vous diront que pleurer, ce n'est pas faiblir, mais juste relâcher la pression avant la dépression. Ils vous aideront à mettre des mots sur les maux, à apprivoiser la douleur jusqu'à ce qu'elle cède.

La maîtrise apparente dont certains font preuve est un mécanisme de défense qui leur fait plus de mal que de bien.

Loisirs divertissements

Depuis Pascal, on sait que le divertissement est un bon antidote à l'angoisse et à la douleur. En consultation, je n'ai pas vraiment le temps de demander à mes patients quels sont leurs hobbies, leurs passions, leurs centres d'intérêt et à quoi ils consacrent leurs loisirs.

Être capable de se concentrer sur autre chose que sa maladie, de se divertir, au sens pascalien du terme, est pourtant essentiel. C'est le meilleur moyen de ne pas s'isoler, de conserver le moral et un lien social, même pendant les périodes où l'on est coincé chez soi. Les distractions, loin de sembler déplacées, futiles, sont en réalité, dans le contexte du cancer, nécessaires.

Témoignage

« J'étais une bosseuse enragée, même pendant les vacances je ne décrochais jamais. Le cancer m'a obligée à m'arrêter pour de bon. Panique à bord ! J'ai regardé autour de moi : les piles de livres que je n'avais jamais pris le temps de lire, les disques jamais écoutés en entier, les DVD achetés, mais jamais regardés. Je me suis attaquée à ces piles comme si me cultiver était un nouveau job que je m'étais trouvé. J'ai créé un blog pour partager mes impressions, puis je me suis inscrite sur Facebook et je me suis fait plein de nouvelles copines sur Internet, qui m'aident à moins peser sur mon entourage immédiat, qui partagent mes passions et me font oublier la maladie. Le chat est ouvert de jour comme de nuit ! » (Christel, 42 ans.)

Le cancer ne laisse pas vraiment de temps libre. Il bouleverse tout, y compris les notions de vacances, de loisirs, de farniente. Comment se détendre, se délasser, prendre son temps quand la maladie transforme le quotidien et ébranle les projets à long terme ? Il va vous falloir apprendre à réévaluer vos priorités, à vivre plus intensément au jour le jour et à accepter vos nouvelles limites.

Faites diversion

Vous ne pouvez pas être sur le front de la maladie vingt-quatre heures sur vingt-quatre, alors vous devrez vous accrocher à vos passions. Des prisonniers ont raconté qu'ils ont survécu, enchaînés dans des conditions extrêmes, en se récitant dans le noir des livres qu'ils avaient aimés ou la liste des grands crus classés de bordeaux. Ne laissez pas le cancer vous emprisonner !

C'est le moment de vous consacrer à des activités qui vous ont toujours attiré, mais que vous n'avez jamais pris le temps d'approcher. Le cancer prend du temps, mais il en donne aussi. Il correspond souvent à une réduction obligatoire de l'activité professionnelle ; donc, les périodes d'attente et de vacances deviennent plus nombreuses. Exploitez tous les blancs que la maladie va laisser dans votre emploi du temps pour faire ce qui vous plaît vraiment.

Accordez-vous enfin ce luxe de faire ce que vous voulez à votre rythme, selon l'impulsion du moment… Il y a des quantités d'occasions gratuites de se distraire : concerts, lectures dans les librairies ou les bibliothèques, visites dans les musées, chorales, ateliers d'arts plastiques, groupes de randonnées ou associations de quartier…

Mobilisez vos amis !

Vous ne voulez pas leur empoisonner la vie, mais vous pouvez quand même partager avec eux les passions qui ont scellé votre amitié, du shopping à la natation en passant par le jardinage. Ne vous coupez pas du monde, même si votre transformation physique vous incite à l'isolement. C'est important de continuer à partager de bons moments au cinéma, au théâtre, devant un match, tant que vous n'êtes pas trop fatigué...

Créez !

Pourquoi ne pas profiter de ces temps de repos pour créer et trouver votre moyen d'expression à vous ? Commencez à tenir un journal de bord comme un journal de voyage, à faire des photos et à les légender, lancez-vous dans l'aquarelle, le jardinage ou la sculpture ! Quand on a trop peur de disparaître, il est toujours réconfortant de se prouver que l'on croit très fort en la puissance de la vie : elle vous le rend bien !

Liens utiles

Se renseigner auprès des mairies, contacter les associations.

À lire

Chantal Thomas, *Souffrir*, Paris, Payot, 2004 et *Comment supporter sa liberté*, Paris, Rivages, 2000.

Cesare Pavese, *Le Métier de vivre*, Paris, Gallimard, coll. Folio, 1987.

Maquillage

À l'hôpital, les patients n'aiment pas se regarder dans le miroir. Quant à la salle de bains, qui était à la maison un endroit de détente et de volupté, elle devient lorsque l'on est malade un lieu d'évitement de soi. Et pourtant, prendre soin de son corps et de son visage permet de mieux vivre avec son cancer.

D'abord parce que vous restez maître de votre dignité (féminine ou virile), ensuite parce que vous aidez vos proches, vos amis et vos collègues de travail à vous accompagner plus naturellement dans la maladie.
Le plus difficile, c'est d'accepter de voir son corps changer le temps du traitement qui entraîne bien des bouleversements. Car si vos analyses de sang sont inaccessibles au reste du monde, chacun pourra comprendre que vous êtes malade si vous avez perdu vos cheveux ou si, ces derniers temps, vous avez anormalement maigri ou grossi…
Il faut apprendre à vivre avec cette idée-là, et surtout, vous efforcer de faire comme avant, voire mieux qu'avant !

Mesdames, maquillez-vous ou faites-vous maquiller dès que vous sortez en « soirée », par exemple. Votre peau, malmenée et souvent asséchée par les traitements, savourera toutes les lotions et les crèmes de jour et de nuit qui viendront l'hydrater. La plupart des chimios font perdre les cils et les cheveux.

Magie du maquillage ! Au crayon, vous pourrez dessiner les sourcils et ajouter, à l'aide d'un eyeliner, une ligne de cils. De même pour votre tête que vous pourrez parer d'une perruque, d'un joli turban ou d'une casquette branchée à votre convenance…

La manucure est évidemment recommandée, car au-delà du souci esthétique, un peu de vernis fera le plus grand bien à vos ongles abîmés par la chimiothérapie.

Liens utiles

Ces trois formidables associations sont établies à Paris, mais vous pouvez évidemment les appeler pour recueillir plusieurs conseils où que vous soyez, ainsi que des réseaux en Province.

Les ateliers de l'Embellie : voici une association d'entraide et de soutien pour toutes les femmes atteintes d'un cancer. L'Embellie organise des ateliers de maquillage, mais aussi de yoga ou d'art-thérapie et de sophrologie (3 euros par atelier).
29, boulevard Henri-IV, 75004 Paris
Tél. : 01 42 74 36 33

Étincelle : c'est un espace d'accueil et de bien-être pour les femmes atteintes d'un cancer du sein.
27 bis, avenue Victor-Cresson, 92130 Issy-les-Moulineaux
Tél. : 01 55 95 70 33

Cosmetic Executive Women :
CEW France
120, avenue Charles-de-Gaulle, 92522 Neuilly-sur-Seine
Tél. : 01 72 92 06 40 - http://cew.asso.fr

Médecin traitant

Le médecin traitant est aujourd'hui ce qu'on appelait autrefois le « médecin de famille », et son rôle durant toute la prise en charge médicale est fondamental.

Le médecin traitant joue un rôle fondamental. Il est à proximité du malade au quotidien, capable de gérer l'ensemble des situations qui peuvent survenir dans l'histoire d'un malade. Il est également une modalité d'alerte de l'équipe hospitalière quand le malade, de retour à son domicile, présente des symptômes qui peuvent être inquiétants. Il les gère très bien. En prenant le temps d'une écoute que le malade ne trouve pas forcément en milieu hospitalier. C'est lui qui répond aux questions pratiques : « Comment je vais vivre avec mon cancer ? Avec ma chimio ? Qu'est-ce que je vais manger ? Est-ce que je peux aller au soleil ? » Toutes les questions que le malade abordera plus facilement avec son médecin traitant parce que l'un et l'autre se connaissent bien. Il est un relais extraordinaire. Le support même de la relation entre le malade et le médecin hospitalier, privé ou public. Il est essentiel qu'il soit tenu au courant. Il ne doit pas hésiter à prendre contact avec l'équipe hospitalière pour recueillir les éléments d'information dont il a besoin. Il faut bien le redire au patient. Ce n'est pas parce qu'il n'est pas cancérologue qu'il doit être tenu à l'écart. Au contraire. Les médecins généralistes sont très bien formés en France. Avec son très vaste champ de compétences, il va jouer un rôle très important dans la vie quotidienne du malade. C'est un allié indispensable pour le malade comme pour l'équipe hospitalière.

Témoignage

« Je suis en traitement radio et chimio depuis plus de deux ans et je vis mon hospitalisation à domicile avec l'aide de ma famille et aux côtés de mes petits chats !
Je dois dire que j'ai un médecin traitant exceptionnel. Quand je ne l'appelle pas une fois par jour, c'est lui qui fait la démarche. Dès que je ressens un symptôme inconnu, je m'empresse de lui en faire part et il vient me voir à la maison. La dernière fois, c'est même lui qui a pris ma maladie à bras le corps quand mon oncologue avait l'air

de laisser flotter un peu le traitement. Il l'a appelé pour lui dire qu'il fallait absolument faire une échographie du rein, il a insisté, et dans l'après-midi, on me faisait tous les examens nécessaires. Ce qui était tout à fait utile et fondé. J'avais perdu un peu confiance en ce médecin traitant qui ne m'avait pas vraiment expliqué ma maladie, il y a deux ans, et puis nous nous sommes parlés et nous avons appris à nous connaître. Il m'est d'un soutien précieux, aussi pour le moral parce que je peux lui dire les choses. » (Renée, 77 ans.)

Par définition, le médecin traitant est chargé de dispenser des soins globaux et continus sans discrimination aucune, c'est-à-dire indépendamment de l'âge des patients, de leur sexe et de leur maladie. Il soigne les personnes dans leur contexte familial, communautaire, culturel, et ce, toujours dans le respect de leur autonomie. Il intègre également toutes les dimensions physiques, psychologiques et sociales.
Cette prise en charge « humaine » inclut également la promotion et l'éducation à la santé (c'est la santé publique), le volet « prévention » des maladies ainsi que les prestations liées aux soins curatifs et palliatifs.

Votre médecin traitant reste, en effet, le relais essentiel avec le centre de cancérologie. Nous pouvons dire qu'il est l'interface entre le patient et les structures de soins extérieures : il vous accompagnera au quotidien pour vous « traduire » et « reformuler » les données, les comptes rendus d'analyses ou toutes les autres informations que vous recevrez à l'hôpital et qui ne sont pas toujours très compréhensibles.

Nous pouvons, malheureusement, observer que parfois, les médecins traitants sont exclus du suivi de la maladie, et ce, pour différentes raisons :

• **Soit parce que le lien ne s'est pas fait entre le médecin généraliste et les spécialistes d'oncologie.** Dans toute cette « tourmente », le patient oublie de mettre son médecin traitant dans la confidence de toutes les démarches médicales réalisées. Bien souvent, le patient est persuadé que le médecin traitant est au fait de tout son parcours de soins, or à partir du moment où le patient est pris en charge par le service d'oncologie, celui-ci se laisse guider par le corps médical. D'ailleurs, le plan cancer 2003-2007 prévoit une mesure autour du dispositif d'annonce du cancer qui s'articule en 4 temps (voir Diagnostic, p. 94).
L'un d'eux correspond à l'articulation entre la médecine de ville et l'hôpital ; effectivement, le médecin traitant doit être associé, dès le début, au projet thérapeutique et au parcours de soins du patient. La communication entre l'équipe soignante et le médecin traitant témoignera de la qualité, la sécurité et la continuité des soins. C'est ce qu'on appelle le travail en réseau ; en effet, tous ces échanges professionnels seront consignés dans le dossier médical du patient qui le suivra tout au long du parcours de soins.

• **Soit parce que le patient a volontairement préféré ne pas prévenir son médecin traitant** par méfiance et amertume ; en effet, si le médecin traitant n'a pas été capable de diagnostiquer, à votre goût, rapidement le cancer, le patient remet en cause les capacités et compétences du médecin traitant. Sachez tout de même que, d'une manière générale, cette attitude est injuste et que les médecins traitants sont tout à fait aptes à gérer ces situations médicales. Mais il a aussi été remarqué que certains d'entre eux pouvaient être mal à l'aise avec l'annonce d'une maladie grave. Il faut savoir qu'il existe pour les médecins traitants diverses formations spécifiques et professionnelles pour enrichir le cursus de médecine générale. Dans ce cas, il peut arriver que le patient souhaite changer de médecin traitant, car il reste indéniable que sans confiance mutuelle, la prise en charge (physique et psychologique) ne peut qu'en être altérée. Si vous pensez le dialogue rompu avec votre médecin traitant, alors ne vous formalisez pas et changez de médecin traitant. L'important est d'avoir près de vous un professionnel en qui vous aurez confiance et qui sera l'interface entre l'équipe soignante et vous, quelles que soient les modalités d'hospitalisation et de prise en charge choisies (HAD, SSIAD, foyer-logement, maison de retraite…).

Choisir votre médecin traitant

Depuis le 1er janvier 2006, la Caisse primaire d'assurance maladie demande à tous les assurés sociaux d'avoir un médecin traitant. C'est ce professionnel que vous consulterez avant d'aller chez un spécialiste sous peine d'être moins bien remboursé (sauf en cas de vacances : vous pouvez éventuellement vous adresser alors à son remplaçant).

Tout médecin inscrit à l'ordre des médecins peut être médecin traitant. Il peut donc être indistinctement votre rhumatologue, votre médecin spécialiste ou même votre cancérologue.

Pour déclarer le choix de votre « médecin traitant », vous remplirez avec lui une déclaration dont vous trouverez notamment le formulaire sur le site de la Sécurité sociale. Vous adresserez ensuite cette feuille cosignée avec lui à votre Caisse primaire d'assurance maladie.

Sachez que vous pouvez changer de médecin traitant sans justification ; il suffira juste de notifier une nouvelle déclaration auprès de la CPAM, et, ainsi le choix précédent sera annulé.

Liens utiles

L'ordre national des médecins : 01 53 89 32 00 (www.conseil-national.medecin.fr)
Site de la CPAM : www.ameli.fr

Mensonge

Il y a deux formes de mensonges. Celui du médecin qui décide de ne pas dire la vérité. Celui du malade vis-à-vis de son entourage, familial ou professionnel. C'est dommage. Parce que ce mensonge nie la possibilité de la guérison. C'est un fardeau supplémentaire que porte le patient parce qu'on lui dénie le droit d'avoir un avenir sous prétexte qu'il a un cancer. Or un malade cancéreux, dans la majorité des cas, a un avenir.

“

Le mensonge est parfois une nécessité que ressent le patient. Des femmes mentent à leur mari tout au long de leur maladie. J'ai vu des maris qui n'ont jamais réalisé que leur femme portait une perruque. J'ai même connu une femme qui s'est débrouillée pour que son mari ne s'aperçoive pas qu'on lui avait enlevé un sein en portant des tenues affriolantes qui cachaient son secret. Ou un homme qui s'est fait irradier pour un cancer de la prostate et le cache à sa femme. Les raisons de ce silence peuvent être la crainte de perdre son statut.

Il peut y avoir une fragilité dans le couple. Dans l'entreprise. Des situations que la survenue d'un cancer rend difficiles et dont le patient ne voit pas comment elles résisteraient à l'annonce de son cancer. Il préfère mentir. Quand tout se passe bien, ça va. Mais l'après-coup peut être terrible. Le mensonge est une violence inouïe. Pour soi, car on demeure dans une solitude terrible qui est une épreuve supplémentaire que l'on aurait pu s'épargner. Pour l'autre à qui l'on ne fait pas suffisamment confiance pour le lui dire.

Il faut réfléchir à ça avant de s'engager dans la voie du mensonge. Le médecin, lui, doit en tout cas respecter la volonté du malade et le secret médical, y compris vis-à-vis des proches.

« Mon docteur ne me dit pas tout… » C'est une réflexion qu'on entend souvent chez les malades qui n'ont pas de prise sur l'évolution de leur cancer. Il est vrai que certains soignants ont pris l'habitude d'employer un vocabulaire délibérément « flou » et « politiquement correct » pour moins vous stresser dans votre combat contre la maladie. L'oncologue remplace le cancérologue et la tumeur le mot de « cancer »…

Au moment du diagnostic ou de l'annonce d'une rechute, le « mensonge », chez le médecin, est un mécanisme de défense assez fréquent qui traduit son angoisse de vous dire les choses « en face ». Par exemple : « J'ai reçu les résultats de votre biopsie. On va recommencer un traitement assez vite... » Sans autres explications.

Et puis, il y a le mensonge/complot. Le patient pense que l'entourage sait des choses sur sa maladie que lui ne sait pas. Mais en France, les soignants sont tenus par le conseil de l'ordre des médecins et doivent d'abord informer le patient avant de parler à ses proches. Ensuite, sachez que c'est avec votre consentement que tout cela sera relayé à votre entourage. Il existe, évidemment, des cas exceptionnels (soins palliatifs, cancers fulgurants) dans lesquels certains soignants, au nom de la morale, choisiront de parler d'abord à la famille, pour l'aider à se préparer à un départ imminent.

Sachez que c'est avec votre consentement que tout cela sera relayé à votre entourage.

Métastase

Quel mot terrible, « métastase » ! Cela signifie que le cancer est toujours là mais qu'il a changé de place, qu'il a migré (*via* le système sanguin ou lymphatique) vers d'autres parties du corps. C'est dans les os, le foie, les poumons ou le cerveau que l'on retrouve le plus fréquemment les métastases.

En effet, le cancer a pour origine une cellule unique qui, contrairement à une cellule dite normale – programmée pour se multiplier plusieurs fois avant de mourir – devient elle, pratiquement éternelle en se multipliant indéfiniment. C'est pour cette raison qu'une tumeur maligne peut envahir les tissus sains contigus à la tumeur. Parfois, certaines de ces cellules quittent l'organe où elles sont nées et partent se reproduire ailleurs : ce sont les fameuses métastases. Pour autant, n'y voyez pas la fin du monde ou une situation sans issue !
Il faut savoir qu'une métastase n'est pas toujours détectable immédiatement. Parfois, elle ne l'est qu'après avoir atteint une taille suffisante qui la rend visible à l'œil du chirurgien, du radiologue ou de l'oncologue.
Si une métastase survient de longs mois après le traitement d'une première tumeur, vous pourrez être soigné par une nouvelle chimiothérapie ou hormonothérapie avec de grandes chances de rémission. Parfois, si ces métastases sont peu nombreuses, il sera même possible de les enlever par la chirurgie.
Si votre cancer a été décelé par une ou plusieurs métastases, c'est que ces métastases sont « révélatrices », c'est-à-dire qu'elles permettent de définir d'où est partie, à l'origine, la tumeur cancéreuse. Par exemple, une métastase au cerveau peut révéler une tumeur au poumon ; une métastase au poumon peut révéler une tumeur du sein ou du tube digestif. Vous serez donc traité par chimiothérapie pour éliminer cette croissance cancéreuse.

En outre, il est vrai que certains cancers métastasés ne se guérissent pas, et l'objectif du soignant sera alors de vous offrir la meilleure rémission possible en alternant les traitements pour stabiliser la maladie.

Les principaux cancers à l'origine des métastases

- Les métastases pulmonaires : cancer du sein, de la peau.
- Les métastases osseuses : cancer du sein, des bronches, de la prostate, du rein, de la thyroïde.
- Les métastases hépatiques : cancer du tube digestif, du sein.
- Les métastases cérébrales : cancer des bronches, du sein, de la peau.
- Les métastases cutanées : cancer du sein, du tube digestif.

Il existe un bon nombre de moyens pour détecter les métastases, qui dépendent de la localisation de celles-ci : l'examen clinique réalisé par le médecin (auscultation complète), la radiographie pulmonaire, l'échographie, la scannographie, la scintigraphie, l'IRM et le petscan. Tous ces examens sont associés à des bilans biologiques sanguins.

À lire

David Khayat, *Les Chemins de l'espoir*, Paris, Odile Jacob, 2003.
Société française du cancer, *Cancérologie fondamentale*, 2005.

Nausées

C'est l'un des effets secondaires les plus fréquents de la chimio. Outre les antivomitifs prescrits par votre médecin généraliste ou votre pharmacien, il est indispensable pour éviter les nausées de ne pas surcharger l'organisme. L'une des clés essentielles est donc de « fractionner vos repas ».

Il est indispensable pour éviter les nausées de ne pas surcharger l'organisme.

Quelques conseils alimentaires

– Buvez beaucoup d'eau, du thé ou des jus de fruits ou de légumes, au moins une heure avant ou après les repas, plutôt que durant le repas même.
– Apprenez à apprécier des petits repas (5 ou 6 fois par jour).
– Évitez de faire vous-même la cuisine si l'odeur vous donne des nausées.
– Mâchez suffisamment vos aliments afin de mieux les digérer.
– Évitez les plats très chauds dont l'odeur accentue parfois les nausées. Privilégiez ainsi des repas froids et des assiettes de fruits.
– Sucez des pastilles de menthe.

Exemple d'une « journée type »

Petit-déjeuner
– Une boisson chaude ou froide avec ou sans sucre
– Pain, biscottes, brioche avec du beurre et/ou de la confiture

Collation dans la matinée
– Un produit laitier sucré (lait, petits suisses, yaourt, fromage blanc)
– Un fruit ou un jus de fruits ou une compote

Déjeuner
– Un plat froid ou tiède de féculents (pâtes, riz, semoule, lentilles…) avec légumes et des protéines (viande, poisson, œuf, crustacés)
– Ou une salade (féculents, légumes, protéines)
– Ou un sandwich

Collation dans l'après-midi
– Un produit laitier sucré
– Un fruit ou un jus de fruits ou une compote

Dîner
– Un plat froid ou tiède de féculents
– Ou une salade
– Ou un sandwich

Collation dans la soirée
– Un produit laitier sucré
– Un fruit ou un jus de fruits ou une compote

Tout au long de la journée
– Buvez de préférence en dehors des repas (les sodas peuvent parfois aider).
– N'hésitez pas, si cela vous fait envie, à grignoter un peu de pain ou des biscuits.
(Voir Alimentation, p. 32.)

Nutrition entérale ou parentérale

Une bonne alimentation est essentielle pour le bon déroulement de votre traitement anticancéreux. Cependant, s'alimenter peut devenir difficile dans certains cas (nausées, douleurs digestives, dégoût...).

C'est pourquoi l'alimentation par la bouche peut parfois être insuffisante pour couvrir vos besoins ; elle pourra alors être complétée ou remplacée par une alimentation par voie entérale ou parentérale sur décision du médecin et du diététicien.

La nutrition entérale consiste à vous alimenter au moyen d'une sonde. Le produit s'écoule sous forme liquide à partir d'une poche stérile (de 375 à 1 500 ml) directement dans l'estomac ou l'intestin. Elle vous apporte tous les nutriments (protéines, glucides, lipides, vitamines et minéraux) dont vous avez besoin pour la poursuite du traitement dans de bonnes conditions sans perte de poids, et vous soulage dans le cas d'une déglutition douloureuse. N'ayez pas d'inquiétude, il ne s'agit, dans la plupart des cas, que d'une situation transitoire, et cela ne vous empêche absolument pas (sauf problème physique) de continuer à consommer en parallèle vos aliments préférés. De plus, cette alimentation peut tout à fait être poursuivie à domicile ; vous n'êtes donc pas tenu de rester hospitalisé. Dans ce cas, une société spécialisée vous aide à mettre en place la nutrition entérale à domicile, en collaboration étroite avec l'hôpital. Vous avez ainsi un seul interlocuteur en cas de questions ou de soucis.

Si la nutrition entérale est impossible, insuffisante ou mal tolérée, une nutrition parentérale peut être mise en place de façon exclusive ou en complément de l'alimentation orale et/ou entérale. Dans ce cas, le mélange nutritif est administré par le réseau veineux (soit périphérique, soit central). L'accès choisi dépend de la durée de la nutrition parentérale, du réseau veineux ainsi que de la nature des solutions perfusées.

La nutrition parentérale peut être réalisée à domicile pour vous éviter une hospitalisation prolongée. Dans l'idéal, elle doit vous permettre de rester autonome puisque les manœuvres spécifiques concernent essentiellement des techniques de branchement et de débranchement. Évidemment, cette application nécessite une asepsie rigoureuse. C'est cette bonne mise en place dans l'hygiène à laquelle veilleront les équipes de soins.
Sachez que le fameux cathéter (le tube) peut rester en place plusieurs mois, voire plusieurs années. Une pompe nutritive miniaturisée règle le débit et vous pouvez la porter à la ceinture ou dans une poche de votre vêtement. Cette pompe fonctionne sur batteries rechargeables

toutes les douze heures ; la poche nutritive est conçue pour contenir la ration d'une journée, avec tous les aliments (nutriments) essentiels. Vous pouvez la changer vous-même ou, le cas échéant, le faire faire par une infirmière.

En tout cas, le matériel nécessaire à la nutrition artificielle à domicile est fourni au malade régulièrement, et les poches nutritives, livrées à domicile par transport frigorifique, sont conservées dans un réfrigérateur réservé à cet effet.

Liens utiles

Laboratoire dhn : www.dhn.fr/nutritionenterale.php
HomeperfDiétic : www.homeperfdietic.fr/index.php
Nutricia : www.nutricia-sur-le-net.com

Ongles

Les traitements de chimiothérapie peuvent entraîner un assèchement général de la peau. Par ailleurs, certains produits, comme le Taxotère®, pourront attaquer vos ongles. Ils se dédoublent, deviennent plus cassants, parfois bombés et de couleur plus foncée ; leur croissance en général s'interrompt le temps du traitement, et dans certains cas, ils risquent de tomber.

Dans tous les cas, ne vous inquiétez pas… cela n'est certes pas très esthétique et ajoute aux complications liées à la chimio, mais ces effets sont réversibles et tout reviendra dans l'ordre à la fin du traitement.

Pour ralentir ces effets secondaires, il existe tout de même quelques petites astuces. La plus répandue consiste à appliquer un vernis épais et opaque tout au long du traitement et jusqu'à un mois après pour continuer à protéger aussi bien les ongles des mains que ceux des pieds.

Les moufles réfrigérantes

Elles vous seront fournies par l'hôpital si vous le demandez, le temps de la séance de chimiothérapie. Ces moufles peuvent préserver vos ongles en les maintenant au froid. De la même manière, vous pourrez utiliser des chaussettes réfrigérantes pour protéger vos ongles de pieds. Elles ne sont, en revanche, pas toujours distribuées par l'hôpital. Apportez alors votre pain de glace et une paire de chaussettes que vous enfilerez au début de la séance de perfusion.

Attention ! Cette pratique est déconseillée pour les patients qui souffrent de la maladie de Reynaud ou d'artériopathie.

Les vernis durcisseurs

Ces vernis à base de silicium protègent les ongles contre la chimio. Il est recommandé de se couper les ongles des mains et pieds assez court.
Quand le vernis s'écaille, vous nettoierez les deux couches avec du dissolvant sans acétone avant de remettre du vernis au silicium et une seconde couche de vernis foncé.
Vous enlèverez le soin tous les trois jours avec du dissolvant (toujours sans acétone).

À savoir

N'abusez pas des bains, des lavages trop fréquents pour ne pas fragiliser vos ongles.
Dans tous les cas, essuyez vos mains soigneusement et appliquez une crème ou une huile de soins réparatrice (Cold Cream chez Avène®, par exemple).

La chute des ongles

Elle est parfois très douloureuse et peut provoquer des petites infections une fois l'ongle tombé. Il vous faut alors contacter un dermatologue qui vous recommandera un traitement pour vous apaiser.

Liens utiles

Les vernis sont en vente en pharmacie (La Roche-Posay®, Ecrinal®), aux alentours de 9 euros.

www.l-onglerie.fr Le site Internet de L'Onglerie propose des vernis (Durci express, Divin Éclat) en vente en ligne aux alentours de 9 euros.

Peau

On a coutume de dire que la peau est le reflet d'une bonne santé générale. Elle va subir à sa manière les traitements de chimio ou de radiothérapie qui risquent de « perturber » temporairement sa nature (épaississement de l'épiderme).

La plupart des patients observent un dessèchement de l'épiderme et une pigmentation du corps (la peau devenant légèrement plus foncée).
Par ailleurs, certains traitements entraînent une hypersensibilité au soleil qui peut favoriser l'apparition de véritables « coups de soleil ».
(Voir Radiothérapie, p. 222.)

Que faire pour soigner sa peau ?

Ces affections fréquentes sont souvent localisées. Par exemple, lors d'un traitement combiné de chimio et de radiothérapie, c'est une zone spécifique du corps, celle qui a été irradiée, qui sera concernée.

Si votre peau est très sèche

– Vous appliquerez matin et soir une lotion hydratante prescrite par votre médecin, sur le visage, le crâne (voir Cheveux, p. 58) et les parties du corps les plus sensibles. Les huiles pour bébé sont souvent les plus efficaces. Mais surtout, n'utilisez pas de talc ou de pommade sans l'avis de votre médecin, car de nombreux produits peuvent laisser une pellicule sur la peau qui pourrait gêner l'action des radiations.
– Pendant toute la période du traitement, mesdames, évitez les masques à l'argile ou les gommages.
– Préférez un savon doux pour laver vos vêtements, notamment vos sous-vêtements qui seront en contact direct avec la zone affectée.
– Prenez soin de ne pas utiliser de déodorants ou de

parfums sur les zones de votre peau rendues les plus sensibles par le traitement. Préférez la pierre d'alun et les déodorants naturels sans alcool.
– Ne grattez pas votre peau, et si les démangeaisons sont trop fortes, aspergez-vous de spray à base de cortisone sur prescription de votre médecin. Certains produits comme la « calamine » soulagent très bien.
– Ne portez pas de tissus trop rêches ou des vêtements trop serrés pour ne pas exagérer les frottements avec une peau sensible.
– Préférez les sous-vêtements en coton.
– Évitez les piscines publiques et leur eau traitée qui est souvent agressive.

À savoir

La radiothérapie comme certaines chimios sont photosensibilisantes, vous devrez donc vous protéger de la chaleur et du soleil pour ne pas trop dessécher votre peau qui risque alors de peler.

Si des rougeurs apparaissent

Voilà un autre effet secondaire des traitements de radiothérapie : des rougeurs et des irritations qui peuvent empirer séance après séance.
Alors, mesdames (en particulier), il existe l'effet « maquillage »...

Avant de vous maquiller, nettoyez votre peau avec une lotion PH neutre puis hydratez-la avec une crème de jour.

La chimiothérapie et la radiothérapie (selon sa localisation) provoquent des rougeurs notamment sur les pommettes, autour du nez et sur le menton. Dans le cas de la chimiothérapie, vous pouvez les gommer avec une base verte avant d'appliquer du fond de teint et un peu de poudre, mais pas en cas de radiothérapie, car vous risquez d'augmenter la brûlure.

Les cernes

Rien de terrible à avoir les yeux cernés comme les grands travailleurs ou les fêtards invétérés, mais vous vous dites que votre teint général est trop pâle et fatigué pour supporter en plus ce type de stigmates.

Vous pouvez donc appliquer un anticernes ou un correcteur de teint de couleur jaune avant de peaufiner avec un peu de fond de teint. Veillez surtout à choisir des cosmétiques testés hypoallergéniques et naturels.

– Appliquez l'anticernes avant le fond de teint et éventuellement après, en retouches, toujours en petites touches du bout des doigts ou avec un pinceau correcteur. Veillez à bien l'étaler sur les cernes et pas en dessous, car vous créeriez dans ce cas l'effet inverse (accentuation des cernes).

– Si les cernes sont très « bleutés », un correcteur de teint de couleur jaune sera plus efficace qu'un anticernes traditionnel.

Le syndrome « main-pied » après une chimiothérapie

Certains traitements fragilisent la peau au niveau de la paume des mains et de la plante des pieds. Dans ce cas, vous verrez apparaître des érythèmes (rougeurs) avec un risque de desquamation (la peau pèle) et des crevasses parfois douloureuses.
Vous pourrez soulager ces plaies avec des crèmes grasses et hydratantes prescrites par votre médecin généraliste ou votre dermatologue.

La peau des seins chez les patientes traitées pour un cancer du sein

Les patientes soignées par radiothérapie pourront subir une importante desquamation et des rougeurs, surtout chez les femmes à forte poitrine (car l'intensité du rayonnement a été plus importante).
Dès la première séance de radiothérapie et au moins jusqu'à 3 semaines après la fin du traitement, il faudra donc veiller à la bonne hygiène de votre peau.
– évitez les savons, les parfums ou les produits irritants ;
– lavez-vous à l'eau tiède avec un savon liquide au PH neutre ;
– ne grattez pas votre peau ;
– portez des soutiens-gorge avec des bretelles en coton bien larges et, si possible, doublées avec un molleton.

Si votre peau pèle malgré l'application régulière de lotions hydratantes, vous pouvez utiliser une crème au dexpanthenol (type Bépanthen® 5 %) avec des applications en couche fine trois fois par jour. Vous pouvez préférer les poudres naturelles (comme le talc pour bébé) à appliquer sur la peau irritée pour l'apaiser deux à trois fois par jour également.

Sachez que ces affections cutanées disparaissent en général après la fin du traitement. Mais tant que les signes d'irritation n'ont pas disparu, vous devrez continuer à traiter votre peau scrupuleusement avec des lotions adaptées. En revanche, il se peut que les zones traitées conservent une coloration légèrement plus foncée.

L'acné

Avec certains traitements, l'acné peut être très prononcé. (Voir Cosmétiques, p. 76.)

Liens utiles

Site de l'Institut national du cancer : www.e-cancer.fr. Allez dans la rubrique « informations sur les cancers », dans l'onglet « perruque et maquillage » : une vidéo en ligne vous explique comment vous maquiller.

Voilà une émotion à la fois terriblement naturelle et handicapante pour le malade.

La peur de la maladie

À l'annonce du diagnostic, elle peut se manifester par le déni le plus total ou par une sensation d'apathie pouvant conduire à la dépression.
Après le choc, de nombreux patients se retranchent par peur d'affronter la maladie, par peur aussi de « changer » à cause des traitements. Et chaque instant de solitude devient un calvaire.
À l'hôpital, il est assez symptomatique de constater combien les malades ont peur de la nuit, peur de dormir, car ils pensent qu'en se relâchant dans leur sommeil, ils seront moins forts pour combattre la maladie. De même, certains redoutent les week-ends, quand les services se vident, que les uns reçoivent des visites tandis que les autres restent seuls face à leur fardeau.

D'où l'importance de l'entourage pour affronter ses angoisses et ses démons. Votre famille, vos amis mais aussi les aides-soignants, l'infirmière et les psychologues sauront dialoguer et plaisanter avec vous pour vous sortir un peu de la maladie, vous rassurer et vous aider à relever la tête.

En lisant, en écrivant, en écoutant les nouvelles et en sortant lorsque cela vous fait plaisir, vous apprendrez petit à petit à ne plus vivre seulement dans l'attente des examens et des analyses. Et vous deviendrez plus fort que le cancer.

La peur d'abandonner ses proches, ses amis

Ce sont sans doute les témoignages des plus « rescapés » des patients qui traduisent le mieux cette peur de laisser ceux qu'on aime : « Que vont-ils devenir sans moi ? » Les enfants, sans leur maman ou leur papa, l'épouse sans son conjoint, le frère sans sa sœur... D'où la nécessité de communiquer, de dire les choses : que vous les aimez, que vous avez pour eux quelques souhaits, que vous-même avez des rêves à accomplir...

Toutes ces personnes, aujourd'hui guéries, se souviennent qu'elles ont alors ravalé leurs angoisses en se battant pour rester auprès de leurs êtres chers. À la peur de délaisser son entourage succèdent donc souvent le désir et la force morale de surmonter la maladie.

Poids

Sans devenir une obsession quotidienne, la balance est l'un des repères essentiels sur lequel vous devrez garder un œil. Il est prouvé, en effet, que des variations de poids peuvent diminuer les effets des traitements.

Notez sur un carnet votre « poids de forme » ou votre poids de départ et, en pratique, choisissez un jour de la semaine pour vous peser dans les mêmes conditions.
Il ne s'agit pas de jouer les coquets, mais il est important de signaler très vite à votre médecin une prise de poids ou un amaigrissement anormal. Il suffira parfois de modifier légèrement les doses des traitements pour que tout revienne dans l'ordre.

La prise de poids

Ce n'est pas la situation la plus répandue, ni la plus connue, d'ailleurs, mais sachez que certains traitements comme l'hormonothérapie ainsi que certaines chimiothérapies ou corticothérapies peuvent vous faire prendre du poids. En plus de la dureté des soins, cette transformation physique n'est évidemment pas facile à accepter.
Vous pourrez vous faire accompagner d'un diététicien ou d'un nutritionniste, qui vous aidera à gérer votre poids tout en apportant à votre organisme les éléments dont il a besoin et, surtout, en gardant le plaisir de l'alimentation.

Au moment du diagnostic, l'amaigrissement traduit le retentissement du cancer sur l'ensemble de l'organisme.

La perte de poids

Le cancer augmente votre métabolisme de base, c'est pourquoi il n'est pas rare de constater une perte de poids ;

elle peut être accentuée par l'âge, la fatigue et les traitements. Au moment du diagnostic, l'amaigrissement traduit le retentissement du cancer sur l'ensemble de l'organisme.

Même si vous avez peu d'appétit, essayez de repérer les aliments qui vous font envie ou qui « passent » le mieux.

Et puis, au fur et à mesure, la perte de poids peut traduire un état d'épuisement général associé à un dégoût pour la nourriture (voir Goût, p. 137). C'est à ce moment qu'il est important d'y faire attention.

À savoir

La perte de poids est significative si :
– elle est supérieure à 10 % en six mois – si vous pesiez 60 kg et que vous avez perdu de 6 à 7 kg en six mois, par exemple ;
– elle est supérieure à 5 % en trois mois – si vous pesiez 60 kg et que vous avez perdu 3 kg en trois mois, par exemple.

Même si vous avez peu d'appétit, essayez de repérer les aliments qui vous font envie ou qui « passent » le mieux.
Vous pouvez enrichir vos préparations : c'est un moyen simple de manger plus de calories et de protéines sans s'en rendre compte.
Pour cela, utilisez du lait écrémé en poudre, du beurre, de la crème fraîche, de l'emmental râpé...

Quelques idées de recettes « enrichies »

• Potage de légumes enrichi

250 ml de potage de légumes maison mixé
30 à 50 g de viande ou de jambon haché, ou 1 œuf
10 g de beurre ou 1 cuillerée à soupe d'huile
1 cuillerée à soupe de crème fraîche
Mixez tous les ingrédients et tamisez pour donner une texture liquide et homogène à votre potage.

• Purée de légumes enrichie

200 g de purée de pommes de terre
1 jaune d'œuf
30 à 50 g de viande ou de jambon haché
1 cuillerée à soupe de lait
10 g de beurre ou 1 cuillerée à soupe d'huile
Gruyère râpé

• Mousse à la banane

1 banane
150 ml de lait
1 cuillerée à soupe de crème fraîche
1 cuillerée à café de sucre semoule
Mixez la banane avec le reste des ingrédients jusqu'à ce que vous obteniez un mélange homogène et onctueux. Vous pouvez remplacer la banane par des fraises ou des fruits au sirop.

• Compote enrichie

4 cuillerées à soupe de compote
2 cuillerées à soupe de lait en poudre
1 jaune d'œuf

1 cuillerée à soupe de crème fraîche
Vous pouvez ajouter un peu de sucre. Mélangez bien l'ensemble avant de le tamiser.

• **Produit laitier enrichi**
1 fromage blanc ou 1 yaourt
1 cuillerée à soupe de lait en poudre
1 verre de lait ou de jus de fruits
Confiture, gelée ou crème de marrons
Mixez le tout afin d'obtenir une sorte de milk-shake, onctueux et liquide.

Si cela ne suffit pas, votre médecin peut vous recommander des compléments nutritionnels : ce sont des petits plus que vous pouvez consommer au même titre qu'une collation ou qu'un goûter.
Ces suppléments diététiques sous la forme de potages, jus de fruits ou boissons lactées vont vous aider à couvrir vos besoins en calories, en particulier si vous n'avez pas un gros appétit.
Ces produits sont prescrits par votre médecin et pris en charge à 100 % par la LPPR (Liste des prestations et des produits remboursés).

Ces produits sont prescrits par votre médecin et pris en charge à 100 % par la LPPR.

Dans le cas où vous auriez vraiment trop de mal à vous alimenter, une alimentation entérale ou parentérale peut vous être prescrite en complément (voir Nutrition entérale ou parentérale, p. 192).

Exemples de compléments

NESTLÉ® NUTRITION

- Clinutren® HP/HC : boisson hyperprotéinée et hypercalorique, sans lactose, sans gluten
=> Indications : collation lors de dénutrition protéique, notamment des patients souffrant de cancer
=> Utilisation : 1 à 2 bouteilles/jour
=> Parfums : chocolat, fraise, vanille, pêche, caramel
=> Remboursement : 8,40 euros

- Clinutren® 1.5 fibres : boisson hypercalorique, source de fibres, sans lactose, sans gluten
=> Indications : collation lors de dénutrition globale associée à des troubles du transit
=> Utilisation : 1 à 2 bouteilles/jour
=> Parfums : pruneau, vanille
=> Remboursement : 8,40 euros

- Clinutren® dessert : crème dessert hyperprotéinée et hypercalorique, sans gluten
=> Indications : crème dessert pour les patients dénutris ou inappétents, notamment dans le cadre d'un cancer
=> Utilisation : 1 à 2 bouteilles/jour
=> Parfums : vanille, pêche, chocolat, caramel
=> Remboursement : 7 euros

- Clinutren® Protect : poudre hyperprotéinée et hypercalorique, contenant de la glutamine, sans gluten
=> Indications : complémentation en cas de dénutrition sévère ou de risque de dénutrition des patients cancéreux sous chimiothérapie et/ou radiothérapie à risque de mucites
=> Utilisation : 2 portions/jour

=> Parfums : vanille, tropical
=> Remboursement : 12,60 euros
- Clinutren® trickened drink : eau gélifiée, sans lactose, sans gluten, sans fibres
=> Indications : hydratation des patients présentant des troubles de la déglutition
=> Utilisation : 3 à 6 unités/jour selon le besoin hydrique
=> Parfums : orange, thé, menthe poivrée
=> Remboursement : non remboursé
- Clinutren® Instant trickened : poudre épaississante pour une préparation instantanée, sans lactose, sans gluten, sans fibres
=> Indications : hydratation des patients présentant des troubles de la déglutition
=> Parfums : neutre
=> Remboursement : non remboursé

NUTRICIA
- Fortimel Care® : boisson lactée hyperprotidique et hyperénergétique enrichie en EPA
=> Indications : en cas de dénutrition associée au cancer
=> Utilisation : 1 à 3 briques/jour
=> Parfums : orange-citron, cappuccino
Nutilis® : Poudre épaississante
=> Indications : hydratation des patients présentant des troubles de la déglutition
=> Parfums : neutre
Stimulance® : poudre de fibres
=> Indications : constipation
=> Parfums : neutre

DHN

Gelodiet® : eau gélifiée

=> Indications : hydratation des patients présentant des troubles de la déglutition

=> Parfums : fraise, citron, grenadine, pomme verte

=> Remboursement : non remboursé

Epailis® : poudre épaississante pour une préparation instantanée

=> Indications : hydratation des patients présentant des troubles de la déglutition

=> Parfums : neutre

=> Remboursement : non remboursé

Fibreline® : poudre de fibres

=> Indications : constipation

=> Parfums : neutre

Prunodiet® : dessert aux pruneaux

=> Indications : constipation

Rhubadiet® : dessert à la rhubarbe

=> Indications : constipation

Liens utiles

Nutricia : division nutrition clinique – gamme destinée à des fins médicales : www.nutricia-sur-le-net.com

Nestlé : www.nestle.fr

Dhn : www.dhn.fr

Prévention

Si on ne peut pas « éviter » le cancer, à proprement parler, on peut diminuer facilement certaines conduites à risques. En effet, selon l'OMS, environ 40 % des cancers dans le monde pourraient être évités par une modification des comportements individuels (alimentation, activité physique, tabac, soleil...).

Plusieurs facteurs sont à surveiller, tout particulièrement :

– **Tabac :** le tabagisme est la principale cause de cancer évitable dans le monde. Il peut provoquer différents cancers : du poumon, de la gorge, de la bouche, du pancréas, de la vessie, de l'estomac, du foie, du rein ainsi que d'autres types de cancer. Sans oublier le tabagisme passif, également cause possible de cancer du poumon.

– **Alcool :** l'abus d'alcool est à l'origine de nombreux décès annuels par cancer.

– **Cancer de la peau dû au soleil :** entre 2 et 3 millions de cancers de la peau bénins et environ 132 000 mélanomes malins se déclarent chaque année dans le monde.

L'augmentation des taux de cancers de la peau enregistrés au cours des dernières décennies est liée principalement au comportement des individus face au soleil.

L'augmentation des taux de cancers de la peau enregistrés au cours des dernières décennies est liée principalement au comportement des individus face au soleil.

Selon une étude australienne, quatre cas de cancer de la peau sur cinq pourraient être évités en adoptant un comportement sensé face au soleil. À commencer par les enfants qui, par de simples mesures de protection, éviteront les coups de soleil avec les conséquences néfastes à long terme qui en découlent (source : OMS).

En France, selon le rapport « Les causes du cancer » publié par l'Académie de médecine en 2007

– Le tabac constitue, comme dans de nombreux pays, la principale cause de cancer (29 000 décès) soit 33,5 % des décès par cancer chez l'homme et 10 % des décès chez la femme (soit 5 500 décès).
– 9 % des décès par cancer chez l'homme et 3 % chez la femme sont liés à l'alcool.
– 2 % des cancers chez l'homme et 5,5 % chez la femme sont attribués à l'excès de poids et à l'insuffisance d'exercice physique.
– Les cancers de la peau – dont 5 % sont des mélanomes – ont pour principale origine les rayons UV du soleil.

La prévention commence d'abord au quotidien à titre individuel.

C'est pourquoi la prévention fait de plus en plus l'objet d'une politique de santé publique (soleil, tabagisme, consommation de fruits et légumes), mais elle commence d'abord au quotidien à titre individuel.
(Voir Dépistage, p. 92.)

Prothèse mammaire

Elle est faite pour « camoufler » ou pour « remplacer » un organe qui a été enlevé par chirurgie dans le cadre du traitement.

Elle est proposée aux femmes qui ont été soignées pour un cancer du sein et qui ont subi une mammectomie ou mastectomie (l'ablation d'un ou de deux seins). C'est une opération brutale qui reste comme une entaille à la féminité des malades. Il leur faudra donc du temps avant que la reconquête du corps ne s'opère…

À l'hôpital, les infirmières proposeront les premiers « artifices » : des prothèses provisoires en coton qui seront portées sous le soutien-gorge le temps de la cicatrisation. Deux à trois semaines après l'opération, vous pourrez acheter une prothèse externe, souvent en matière siliconée avec une enveloppe externe très fine. Elles sont agréables à porter, car elles se confondent rapidement avec la forme du corps dont elles prennent aussi la chaleur.

Il est évident qu'au même titre que vous essayez des soutiens-gorge, il faudra essayer ces prothèses pour trouver celle qui vous correspondra le mieux.

Sachez d'emblée qu'il existe deux catégories de prothèse. La « classique », très légère, qui s'adapte à toutes les tenues (même le maillot de bain) et qui se nettoie facilement. Et puis la prothèse adhésive : elle vous permettra évidemment de porter des vêtements plus décolletés et de mener une activité physique ou sportive de manière très confortable.

Selon les modèles, le prix des prothèses varie entre 100 et 250 euros. De même que les perruques sont partiellement remboursées par la Sécurité sociale, les prothèses mammaires sont prises en charge à 65 %.

Sachez enfin que certaines femmes préfèrent reconstruire leur poitrine plutôt que de vivre avec des prothèses ajustables. Cette reconstruction mammaire sera réalisée en même temps que la mammectomie ou mieux, 6 mois, en moyenne, après l'ablation du sein.

Pour les patientes qui ne présentent pas de risques de complications (liées au surpoids ou au tabac), c'est une chirurgie en général esthétiquement réussie et qui redonne à la femme un attribut essentiel de sa féminité.

Liens utiles

La société spécialisée dans les prothèses :

AMOENA : il s'agit du leader mondial des prothèses pour les femmes opérées d'un cancer du sein. La maison mère

est basée en Allemagne, mais ce site met en ligne la liste des dépositaires des produits de sa gamme par départements, en France métropolitaine et dans les Dom-Tom. Vous y trouverez des soutiens-gorge, des maillots de bain et 5 types de prothèse en fonction de vos envies et de vos besoins.
Amoena France
ZAC du Tronchon
9, rue du Château-d'Eau, 69410 Champagne-au-Mont-d'Or
Tél. : 04 72 17 08 69
www.amoena.com

Association « Essentielles » : www.essentielles.net

À lire aussi

Emmanuel Cuzin et Dr Jean-Yves Génot, *Le Cancer du sein : des femmes témoignent*, Paris, Manise, coll. Santé/Bien-être, 2005.
Un livre plein d'espoir pour les patientes soignées d'un cancer du sein comme pour leur entourage.

Radiothérapie

Les radiations sont l'une des méthodes utilisées pour éliminer les cellules cancéreuses. On bloque ici la capacité des lésions à se démultiplier en détruisant, de manière microscopique, les cellules tumorales et donc en épargnant tous les tissus sains qui sont en périphérie. La radiothérapie est aujourd'hui utilisée dans la moitié des cancers, parfois en renfort à la chirurgie ou à la chimiothérapie.

Il existe 3 grands types de radiothérapie :

– **la radiothérapie dite « conventionnelle »** ou « externe » : on rayonne autour du patient allongé sur une table de traitement pendant 2 à 3 minutes.
– **la curiethérapie,** quand la source radioactive est placée dans la tumeur du malade, pendant quelques heures.
– **la radiothérapie métabolique et vectorielle** ; il s'agit d'une radiothérapie injectée sous forme liquide.

Dans tous les cas, le traitement va vous fatiguer et quelques effets secondaires pourront apparaître de manière localisée, en fonction de la partie de votre corps qui aura été irradiée.

Les effets secondaires par zones d'irradiation et leur traitement

Radiothérapie cérébrale et ORL

Effets secondaires :
• Perte de cheveux : les patients qui sont traités pour une tumeur à la tête ne le savent pas assez mais les rayons font perdre les cheveux. C'est un processus qui survient à retardement, en général 2 à 3 semaines après la première séquence de radio.
• Céphalées : vous pouvez également être victime de maux de tête et de nausées, au fur et à mesure que les doses s'accumulent.
• Rougeurs : au niveau du cou, car c'est la partie du corps humain où la peau est la plus fine. On parle alors de « brûlures ».

C'est une technique qui a plutôt mauvaise presse aujourd'hui : les rayons guérissent, certes, mais ils brûlent, et l'idée de « destruction » de son corps est souvent prévalente. À cela, ajoutez les derniers accidents de surirradiation à Épinal et à Toulouse, c'en est assez pour effrayer les patients…
Et cependant, dans 90 % des cas, la radiothérapie est plus facile à supporter que les autres traitements contre le cancer. Les techniques d'imagerie, qui préparent la radiothérapie, ont évolué ces dix dernières années, et la méthode dite « conformationnelle » adapte désormais le rayonnement au volume tumoral et limite, du même coup, les éventuels effets secondaires.
Alors, pour limiter votre appréhension, il vous faudra discuter du traitement avec l'oncologue qui déterminera votre protocole. Ce rendez-vous est essentiel pour bien prendre conscience des effets secondaires. Leur risque augmente avec la dose d'irradiation, sa fréquence et sa localisation, sachant qu'un protocole de radiothérapie s'étend en général sur 5 à 6 semaines.

- Irritations buccales : les aphtes, les trachéites, les douleurs à la déglutition sont assez fréquentes, car le système œsophagique est touché par les rayons.
- « Bouche sèche » : c'est un phénomène qui survient en général quelques mois après la fin de l'irradiation. La « bouche sèche » s'explique par le dysfonctionnement des glandes salivaires.

Que faire en cas de sécheresse buccale ?

Le traitement symptomatique a une efficacité assez limitée, il faut bien le dire. En revanche, voici quelques conseils pour rendre moins pénible ce phénomène :
– Veillez à vous hydrater très régulièrement (2 à 3 litres par jour, mais en petite quantité) et sucez des glaçons que vous pouvez aromatiser.
– Ajoutez un peu de bouillon, de soupe, de sauce, de crème, de beurre ou de margarine à vos préparations pour les rendre plus lisses. Ayez toujours en réserve des préparations de sauce au jus et nappez-en vos plats.

– Optez pour des aliments mous, servis frais ou à température ambiante. Au besoin, réduisez-les en purée.
Enfin, il existe certains médicaments qui ont une vertu palliative : Syaline Spray® ou Artisial® (6 à 8 pulvérisations par jour).

Radiothérapie du thorax

Effets secondaires :

• Irritations de l'œsophage : il est effectivement au beau milieu des poumons et même en ciblant bien, la radiothérapie rayonne toujours un peu plus loin. Les risques d'œsophagite sont fréquents.

Problèmes de déglutition : que faire ?

– Privilégiez les aliments à température ambiante.
– Consommez des aliments bien cuits, éventuellement mixés.
– Évitez les aliments irritants (épicés, acides, frits, les écorces de fruits, la peau des légumes) ainsi que les aliments dispersibles (riz, semoule).
– Prenez votre temps pour manger et boire.
– Mangez par petites bouchées et buvez par petites gorgées.

Veillez à vous hydrater très régulièrement et sucez des glaçons que vous pouvez aromatiser.

Petites astuces...

Dans certains cas, sachez que les liquides peuvent être difficiles à ingurgiter.
Il existe des préparations permettant de les épaissir : Resource Thicken Up Novartis®, Nutilis Nutricia®, ainsi que des eaux gélifiées.

Toutes ces préparations sont disponibles en pharmacie.

Radiothérapie des seins

Pour limiter votre appréhension, il vous faudra discuter du traitement avec l'oncologue qui déterminera votre protocole.

Effets secondaires :

• Rougeurs : c'est l'effet secondaire le plus récurrent, mais les brûlures se voient de moins en moins à mesure que les techniques se perfectionnent. Sachez tout de même, mesdames, que les risques de rougeurs sont plus importants sur les grosses poitrines puisque l'irradiation est plus importante.

Si la radiothérapie traite également les ganglions satellites du sein, il peut y avoir des douleurs de l'œsophage.

Radiothérapie du bas-ventre

Effets secondaires :

• Irritation utérine et vésicale, risque de vaginite et irritation de l'appareil sexuel avec une fréquente envie d'uriner et les symptômes de la cystite (douleurs, brûlures).

• Sécheresse vaginale.

• Irritation de la vessie et du tube digestif en cas de traitement de la prostate.

Radiothérapie digestive

Effets secondaires :

• Diarrhées, spasmes abdominaux.

Reconstruction mammaire

Certaines patientes qui ont subi une ablation d'un ou de deux seins préfèrent la reconstruction mammaire au port d'une prothèse ajustable.

Pour conjurer cette mutilation un peu traumatisante, ces femmes vont se faire « restaurer » le sein juste après l'ablation de la glande mammaire ou quelques mois après l'intervention (6 mois après la fin de toute séance de chimio ou de radiothérapie).

Hélas ! toutes les femmes ne peuvent avoir recours à ce procédé en raison de risques de complications.
Votre chirurgien sera là pour vous aider à mieux appréhender ces risques éventuels :
– le tabac et le surpoids qui rendent difficile la cicatrisation ;
– la prise de certains médicaments (corticoïdes, notamment) qui augmentent le risque d'infection ;
– des antécédents de chirurgie thoracique ou de maladies cardiovasculaires.

Dans tous les autres cas, la « reconstruction mammaire » permet de redonner à sa poitrine sa beauté et son volume d'origine. L'intervention est réalisée par un chirurgien plastique (en relation avec le chirurgien cancérologue), qui va poser à l'endroit de la cicatrice une prothèse d'eau, de silicone ou un peu de tissu (peau et graisse) prélevé dans le ventre, le dos ou les fesses de la patiente.
Il faut, dans tous les cas, prévoir deux ou trois interventions, chacune réalisée à 3 ou 6 mois d'intervalle :

1) D'abord, le chirurgien définit le procédé de reconstruction le plus adapté à la patiente en fonction du traitement suivi, de sa morphologie, de sa peau (elle a pu être abîmée, par exemple, par les séances de radiothérapie et il

faudra en tenir compte) et des cicatrices.

Cette technique est formidable, car elle permet à la patiente de retrouver un élément physique et psychologique majeur de sa féminité.

2) La première intervention (sous anesthésie générale) permet de reconstruire le volume mammaire qui a été enlevé.

3) Une deuxième intervention est éventuellement nécessaire pour « équilibrer » la symétrie des deux seins.

4) Enfin, la troisième intervention (sous anesthésie locale) permet de reconstruire l'aréole et le mamelon.

Dans de nombreux cas, sachez qu'il faudra envisager d'autres petites interventions « de raffinement » qui permettront de retoucher d'éventuelles cicatrices ou de remodeler certains endroits du sein.
En général, même si le sein n'a plus aucune sensibilité, cette technique est formidable, car elle permet à la patiente de retrouver un élément physique et psychologique majeur de sa féminité.

À savoir

Il est aussi possible d'avoir recours à la reconstruction immédiate. C'est la méthode qui consiste à reconstituer le sein juste après son ablation, alors que la peau et les muscles sont de bonne qualité. Ce n'est pas forcément toujours la meilleure solution, car la patiente n'a alors pas le temps de faire le deuil de son sein.

Sexualité

Le cancer n'empêche ni de s'aimer, ni d'avoir du désir, ni de faire l'amour. Seulement, la plupart des traitements, en fatiguant et en sapant le moral du patient, peuvent jouer sur sa libido. Il existe également des effets secondaires qui perturbent les rapports sexuels, comme la sécheresse vaginale provoquée par la chimio.

Ces problèmes sont récurrents et minent souvent le moral du couple. Pourtant, ils ne sont jamais évoqués devant l'oncologue qui, pensez-vous, n'est pas la personne appropriée : « Il m'a déjà sauvé la peau, je ne vais pas l'embêter avec mes problèmes privés. » N'hésitez pas à parler de ces désagréments à votre médecin traitant ou à un sexologue de votre service de cancérologie. Il ne faut surtout pas que la maladie l'emporte sur votre désir de vie amoureuse, car c'est elle aussi qui vous donnera le souffle pour combattre.

Le temps des incertitudes : « Vais-je encore plaire ? »

Voici la question telle que la patiente se la pose le plus souvent : « J'ai perdu du poids, je n'ai plus de cheveux, il me manque un sein… Alors, comment faire bonne figure ? Comment être la femme que j'étais avant pour le séduire toujours ? »

La patiente vit toujours des moments difficiles devant le regard éperdu de l'homme, qui n'est pas toujours au courant des effets secondaires des traitements, car elle a besoin de se reconstruire et de surmonter sa fatigue et ses angoisses.

> Le sexe, c'est une dimension du bonheur de vivre. Le refuser parce qu'on a un cancer ou parce que son conjoint a un cancer, c'est se priver d'un bonheur et d'un ciment de la vie à deux, au moment même où on en a le plus besoin. Le cancer complique tout, mais ce n'est pas une raison pour le laisser faire. Il existe des situations involontaires qui font que le sexe devient difficile quand on a un cancer. Baisse de la libido, fatigue générale. Certains cancers touchent les organes sexuels qui rendent les relations sexuelles pénibles. Il ne faut pas hésiter à en parler à un sexologue. Il existe toujours des moyens pour un couple de contourner les difficultés et de disposer quand même d'une activité sexuelle. Le blocage peut être aussi psychologique. Le malade voit son corps abîmé, souffre de perdre ses cheveux, ses poils. Le sexologue peut alors rencontrer le couple pour expliquer à chacun pourquoi les caresses sont importantes, qu'il existe d'autres façons de recevoir et de donner du plaisir que la pénétration, et proposer des aides – Viagra® ou Cialis® pour les hommes, gels lubrifiants pour les femmes. La gêne est plus souvent psychologique que technique ou physique. Réapprendre à faire les gestes que l'autre attend, à aimer son corps ou le corps de l'autre en dépit des marques de la maladie, à le respecter, à le trouver beau, cela peut être aussi l'occasion d'un approfondissement des relations d'un couple qui sortira de l'épreuve grandi, plus solide, plus amoureux que jamais.

Aussi étonnant que cela puisse paraître, de nombreux sexologues racontent que beaucoup d'époux viennent les consulter : ils craignent de faire l'amour à leur femme lorsqu'elle a été soignée pour un cancer du sein ou de l'utérus, de peur de l'attraper. « J'ai peur de flirter avec la mort », disent-ils, ce qui ajoute à la perte du désir.

Alors, efforcez-vous, messieurs, de combattre ces préjugés et d'être présents. Il existe un temps de réadaptation de la sexualité. Il passe notamment par les caresses, presque thérapeutiques, sur les zones érogènes et par le désir du baiser, avant la pénétration, qui, temporairement, ne sera pas la panacée…

Avec ce nouveau schéma – provisoire – en tête, vous verrez que, progressivement, la sexualité repart, et souvent de plus belle, car l'un et l'autre dans le couple cherchent à réinventer un corps.

La baisse provisoire de la libido n'est pas la fin de la virilité !

Tous les troubles sexuels ne sont pas uniquement psychologiques : certains sont les conséquences des traitements anticancéreux. La chimio, en l'occurrence, assèche toutes les muqueuses, de la bouche au vagin, ce qui rend plus douloureux le rapport sexuel chez la femme. Il existe des traitements lubrifiants à base d'hormone et de vitamine E pour les assouplir.

L'inconfort et la douleur dans les relations sexuelles peuvent également être la conséquence de traitements hormonaux ou d'opération chirurgicale ou de radiothérapie dans la zone pelvienne.

Chez les hommes, les pannes sexuelles ont deux causes majeures qui, le plus souvent, se conjuguent : l'angoisse de n'être plus performant et les effets de la chirurgie ou des traitements, en particulier dans le cas du cancer de la prostate.

Le désir et l'érection sont généralement diminués après un traitement de chimio, car celui-ci fatigue l'organisme (nausées, vomissements, perte des cheveux) et met l'appétit sexuel en sommeil provisoire dans le couple. Mais l'homme retrouve sa libido en une ou deux semaines après la fin du traitement. Donc, pas de fatalité ! Ne pensez pas : « On m'a dit que je n'aurais plus de désir, donc je me soumets... » Beaucoup de patients continuent à avoir envie de leur femme et de faire l'amour pendant le traitement, car le couple vit toujours à vivre dans la tendresse et l'affection mutuelle.

Accepter les effets secondaires des traitements

Chez la femme, la chirurgie du sein ou l'ablation de l'utérus sont considérées comme de véritables mutilations sexuelles, difficiles à accepter. C'est là que commence un travail de reconquête de soi, de son corps (reconstruction mammaire, prothèse). C'est le moment aussi où votre partenaire doit vous aider à retrouver vos points de repère ou à les réinventer (caresses, nouvelles pratiques sexuelles).

Chez l'homme, l'ablation de la prostate ou de la vessie peut entraîner des troubles de l'érection, en particulier si les bandelettes érectiles ont été sacrifiées durant l'opération (c'est évidemment nécessaire dans le cas où des cellules cancéreuses y sont associées).

Si les bandelettes ont été préservées, 40 % des hommes retrouvent spontanément leur érection après environ un an et 80 % dans les deux années suivant le traitement... On n'est donc pas tellement éloigné des 100 % !

Dans tous les cas, après une ablation de la prostate, l'éjaculation devient « sèche », c'est-à-dire interne, le sperme partant dans la vessie, ce qui modifie légèrement les sensations de l'orgasme.

Messieurs : des solutions pour retrouver le plaisir

Les médecins généralistes, les urologues et les sexologues sont là pour vous aider à renouer avec votre virilité et à retrouver vos habitudes sexuelles. Il existe plusieurs petites aides, de plus ou moins long terme.

• Les « médicaments oraux » ont la cote :

- Le Viagra® (contre-indiqué en cas de certains troubles cardiaques) : il doit être pris de trente minutes à une heure avant le rapport sexuel et possède une durée d'action d'environ trente minutes.
- Le Cialis® : vous pouvez le prendre plus de vingt-quatre heures avant un rapport sexuel.
- Dans la même famille, le Levitra® : il agit un peu moins d'une demi-heure après son administration et il est recommandé pour les patients qui souffrent de diabète, de dépression ou d'hypertension.

Toutefois, ces médicaments ont pas mal d'effets secondaires et ils ne sont pas toujours efficaces.

• Les techniques de dernière minute :

– Les pompes à érection, que l'on trouve dans des boutiques spécialisées ou les sex-shops, permettent de gonfler la verge avec un effet durcisseur trente minutes environ avant le rapport.

– Les piqûres de Dicalex® avec une crème anesthésiante (Quotane®) ont un effet érectile parfois instantané qui peut durer une heure et demie.

– Dans certains types de cancer (verge), on pourra vous recommander des prothèses flexibles.

Les grandes questions que vous vous posez sur le sexe et le cancer

« Le traitement pour un cancer m'empêche-t-il pas d'avoir un enfant ? »

Sachez qu'il est rare que la fertilité de la femme soit atteinte par la chimiothérapie. En revanche, chez l'homme, certains traitements, il est vrai, peuvent diminuer le nombre des spermatozoïdes. Dans ce cas, et si vous avez un projet de paternité, votre médecin vous proposera de réaliser un prélèvement de sperme avant le début de la chimio. Cet échantillon sera conservé au CECOS (banque de sperme). C'est une précaution très utile même si, dans la plupart des cas, la baisse de la fertilité est réversible à la fin du traitement.

« À partir de quel moment puis-je refaire l'amour en cure de chimiothérapie ? »

Pendant le traitement ou après, quand vous voulez,

pourvu que vous en ayez envie et que vous soyez heureux(se) de retrouver votre conjoint(e) ! Sachez qu'aucune restriction ne vous est imposée, si ce n'est de bien composer avec une fatigue qui peut être lourde et mettre votre libido en sommeil pendant quelques jours.

« Après un cancer de l'ovaire ou de l'utérus, puis-je toujours avoir du plaisir ? »
Bien sûr, car le plaisir ne dépend pas de la présence de l'utérus ou des ovaires. Il est dû à l'excitation du clitoris et du vagin, ce qui est totalement indépendant !

« Je sors d'une radiothérapie et je ressens un rétrécissement de mon vagin. Est-ce possible ? »
Il est possible, en effet, que les rayons entraînent une atrésie vaginale et vulvaire, c'est-à-dire un rétrécissement de la vulve et du vagin. Cela peut donc créer une gêne pendant la pénétration. Pour vous soulager, vous pourrez utiliser un traitement local hydratant (type Lubran-sensilube® ou Try®), un gel hormonal, en accord avec votre médecin.

« Après un cancer du col de l'utérus, est-il encore possible d'avoir des rapports sexuels ? »
Évidemment, mais il vous faudra attendre un mois et demi environ après l'intervention pour permettre à votre col de se reconstruire.
Pendant quelques semaines encore, vous veillerez avec votre partenaire à modérer les mouvements au niveau du vagin pour éviter les petits saignements.

« La chimio a-t-elle une conséquence sur mon cycle ? »
Oui, certains médicaments peuvent provoquer une irrégularité de vos cycles ou même une disparition de vos règles. Pour les femmes ménopausées, on note parfois une augmentation des symptômes de la ménopause, principalement des bouffées de chaleur.

« Peut-on donner du plaisir à une femme sans la pénétrer ? »
Chers messieurs, sachez que si votre partenaire est clitoridienne, la stimulation buccale ou manuelle de son clitoris lui procurera toujours un orgasme d'une intense satisfaction. Pour les autres, ce sera l'occasion d'un nouvel apprentissage sexuel. Qui sait ? Vous n'avez peut-être jamais exploré les possibilités du massage vaginal… alors, c'est le moment d'oser !

« Je me suis fait opérer de la prostate et je n'ai plus d'éjaculation depuis… Est-ce normal ? »
Oui, car, dans la plupart des cas, après une opération de la prostate, l'éjaculation se fait à l'intérieur de la vessie. C'est un nouveau fonctionnement, qui ne fait pas pour autant de vous un homme impuissant. Il n'y aura plus d'éjaculation extérieure de sperme, mais vous pourrez continuer à jouir comme avant.

« Les aphrodisiaques peuvent-ils aider en cas d'impuissance ? »
Dans le langage commun, un aphrodisiaque est une substance qui accroît l'instinct et le plaisir sexuels.

Mais sachez que votre plus grande satisfaction sexuelle proviendra de vos fantasmes et de votre imagination. Cela dit, des stimulateurs vitaminiques, des oligoéléments, le ginseng ou la gelée royale peuvent, en cas de grande fatigue, vous faire l'effet d'un vrai bain de jouvence. Cependant, avant toute chose, renseignez-vous bien sur la provenance de ces produits.

À lire

N. Jarousse et Pr David Khayat, *La Volonté d'aimer : cancer et sexualité, des réponses claires et précises*, Paris, Ellébore, 2001.

F. Bogaerts, *Cancer et sexualité : impact sur les relations conjugales*, Annales du congrès international de cancérologie, Paris, Springer (France), 1997.

Liens utiles

ARCAGY (Association de Recherche CAncers GYnécologiques)
1, place du Parvis-de-Notre-Dame, 75004 Paris
Tél. : 01 43 26 26 73

EFS (École Française de Sexologie)
3, rue Copernic, 75016 Paris
Tél. : 01 47 04 40 57

Soleil

On en fait traditionnellement un allié du moral et de la bonne humeur, et c'est vrai qu'aux premiers rayons de soleil chacun veut en profiter…
Pour certains patients, le soleil calme les maux de tête ; pour les autres, il soulage les douleurs articulaires. Et dans tous les cas, après un traitement laborieux, tous ont tendance à se laisser tenter…

Vous aurez le droit de retrouver ces petits plaisirs auréolés d'un air de vacances, mais si vous sortez tout juste de traitement ou si votre cancérologue l'a momentanément interrompu, il vous faudra prendre votre mal en patience et ne pas vous exposer trop vite et trop longuement.
En effet, certains produits contenus dans la chimio entraînent une hypersensibilité au soleil qui peut se traduire par des réactions cutanées comme des rougeurs ou des démangeaisons. D'une manière plus générale, il se peut que le traitement ait modifié le comportement de votre peau au soleil et que celle-ci y soit devenue plus sensible.

« Puis-je partir en vacances ? »

Votre médecin ne s'y opposera jamais pourvu que vos analyses l'y incitent et que vous soyez assez autonome pour partir en vacances sans risque. Néanmoins, une période de précaution s'impose. Si vous venez de subir des séances de radiothérapie, vous ne pourrez pas exposer la zone irradiée au moins un an après la fin du traitement. Vous éviterez ainsi l'apparition de réactions cutanées douloureuses. Il vous faudra être d'autant plus vigilant si vous avez été irradié au niveau de la tête ou du cou. Sur ces parties du corps, l'application d'une crème écran total est indispensable.

Certaines patientes suivies après un cancer du sein présentent des petits vaisseaux au niveau de la zone irradiée. Il s'agit de « télangiectasies » dont l'apparition est favorisée également par une exposition intempestive au soleil. Dans ce cas, vous demanderez conseil à votre dermatologue. Ces lésions peuvent être retirées par laser.

Mais au-delà de cette période de précaution, vous pourrez profiter d'un ensoleillement doux en évitant de vous faire bronzer au zénith entre 12 et 16 heures, et en appliquant une crème écran total de bonne qualité sur toute la zone concernée par les rayons.

Les rayons naturels du soleil, à ne pas confondre avec « l'effet coup de soleil » du traitement...

Il est parfois directement associé à la radiothérapie dans le cadre du cancer du sein. Avec les progrès technologiques, les effets indésirables des rayons sont de plus en plus ténus, mais au bout de 3 à 4 semaines de traitement, une rougeur localisée de la peau peut apparaître à l'endroit de la zone d'irradiation.

Les médecins ont coutume d'appeler cet effet secondaire, « l'effet coup de soleil » de la radiothérapie. Pour ne pas ajouter à cette irritation, il est recommandé de se laver au savon naturel (type savon de Marseille) et de porter des vêtements amples et souples afin d'éviter les frottements.

Se prémunir en évitant les coups de soleil

Il n'est pas inutile de rappeler dans ces pages que la plupart des cancers de la peau type carcinomes et mélanomes (les plus dangereux) ont pour origine des coups de soleil, c'est-à-dire une brûlure de la peau provoquée par les rayons UV.

Un coup de soleil grave ou la répétition de petits coups de soleil, surtout s'ils sont subis pendant l'enfance, peuvent ainsi augmenter votre probabilité de déclencher un cancer de la peau. Si vous avez l'habitude du soleil, allez voir votre dermatologue régulièrement, car les carcinomes et mélanomes dépistés à temps se soignent très bien.

Petit pense-bête pour bien surveiller vos grains de beauté et dépister un éventuel début de mélanome...

A – comme « asymétrie ».

B – comme « bords irréguliers ».

C – comme « couleur non homogène », les mélanomes sont souvent à la fois rouge, marron et noir.

D – comme « diamètre », en général supérieur à 6 mm.

E – comme « évolution », dans le cas d'un grain de beauté qui change de couleur ou de texture et devient rugueux.

Solitude

Quels que soient l'amour et les attentions de votre entourage, vous ressentirez fatalement, à un moment ou à un autre, la maladie comme une difficile traversée en solitaire. Vous serez face à vous-même et face à vos propres conditions

Alors, vous vivrez parfois en porte-à-faux avec vos propres envies : tout dire à votre conjoint ou votre épouse, par exemple, et pourtant il faudra souvent préserver vos proches pour qu'ils continuent à vous apporter du réconfort. Cette solitude traduit donc souvent l'impossibilité à communiquer les peurs et les angoisses à son entourage.

Parler, parfois en vain

Certaines patientes, notamment, expriment les problèmes de communication qu'elles traversent avec leur conjoint pendant la maladie. Un mari qui n'entend pas la souffrance morale de son épouse. Car souvent, l'autre a doublement peur. Peur de perdre celui ou celle qu'il aime, peur aussi face à sa propre mort. La cancérologue Françoise-May LevinMark explique notamment que « plus le traitement est long, plus le risque de solitude est grand ».

Vous ressentirez fatalement, à un moment ou à un autre, la maladie comme une difficile traversée en solitaire.

Les proches se fatiguent, se désespèrent au fur et à mesure que les séances de chimio ou de radiothérapie se succèdent. « Il faut donc arriver à marcher au même pas », ajoute-t-elle. Et en effet, de nombreux témoignages soulignent que l'entourage baisse parfois les bras trop vite, ou, au contraire, se réjouit trop rapidement d'une rémission... Ce sont les conséquences de ce décalage qui sont épuisantes.

Cette solitude traduit donc souvent l'impossibilité à communiquer les peurs et les angoisses à son entourage.

Rompre la solitude

Même si vous n'êtes pas d'un naturel expansif, c'est le moment de parler et de dire ses sentiments. Des « je t'aime », par exemple, dont on est parfois trop avare... Cela vaut aussi bien pour le malade que pour ses proches. Les mots ont un pouvoir libérateur qui permet souvent de dédramatiser.

Si vous êtes sur le point de craquer, contactez des associations de malades, des groupes de paroles ou entamez une thérapie de soutien auprès d'un psychologue.

N'oubliez jamais que des dizaines d'associations de malades sont là pour vous aider à dire ce que vous ne pouvez exprimer frontalement à ceux que vous aimez (voir Associations, p. 38).

Soins palliatifs

Certains médecins affirment aujourd'hui que de plus en plus de malades ne mourront pas « du » cancer, mais « avec » le cancer. Suivant l'âge du patient ou la forme de son cancer, il arrive, en effet, que la maladie devienne chronique.

Il s'agit alors, par définition, d'une affection de longue durée qui s'installe, qui s'aggrave ou qui, souvent, se stabilise généralement grâce à un traitement. C'est un moment pénible pour le patient, qui va devoir accepter de vivre avec sa maladie et toutes les contraintes qui lui sont liées. Vous traverserez peut-être une période de révolte et de grosse lassitude, mais vous ne devrez pas baisser les bras, car vous pouvez vivre avec votre maladie et vivre bien.

Il est important, dans ces moments d'abattement, de vous tourner vers vos proches et vers des professionnels pour une prise en charge psychologique qui vous permettra de dédramatiser et de trouver l'accompagnement thérapeutique idéal. Vous devez savoir aussi que la chronicité de votre cancer entraînera de nombreux passages chez le médecin et qu'il est très important que vous honoriez toutes ces consultations, même si vous vous sentez fatigué. Elles permettront de bien fixer les objectifs de soins, car le but, évidemment, est de trouver des traitements de confort pour que vous puissiez vivre le mieux possible.

Vous entrerez donc dans une phase palliative, que vous pouvez choisir de suivre dans un service spécialisé ou à domicile avec un accompagnement (loi du 9 juin 1999 relative à l'accès aux soins palliatifs). L'objectif est évidemment d'améliorer votre qualité de vie et votre dignité, et de soutenir votre entourage.

L'objectif est évidemment d'améliorer votre qualité de vie et votre dignité, et de soutenir votre entourage.

Les soins palliatifs peuvent s'appliquer dans le cadre de l'hospitalisation à domicile (HAD), du service de soins infirmiers à domicile (SSIAD) ou par le biais d'un réseau qui coordonnera la médecine de ville, les unités de soins palliatifs et les équipes mobiles de soins palliatifs.

N'oubliez pas le remarquable travail des bénévoles et des équipes de soins, car, là encore, l'assistante sociale de l'établissement de soins ou de secteur pourra vous accompagner et vous informer des démarches à suivre.

Liens utiles

Site de la Haute Autorité de santé, qui propose un guide méthodologique destiné aux professionnels sur l'éducation thérapeutique du patient atteint d'une maladie chronique : www.has-sante.fr

Site de la Société française d'accompagnement et de soins palliatifs :
www.sfap.org

Associations d'entraide et de soutien :

UNASP : Union Nationale des Associations pour le développement de Soins Palliatifs.

JALMALV : Jusqu'À La Mort Accompagner La Vie.

À lire

Antoine Spire & Nicolas Martin, sous la direction du Pr David Khayat, *Cancers & vieillissement*, Éditions Le Bord de l'Eau, 2006.

Le cancer bouleverse toutes les dimensions de la vie et impose souvent d'aménager son rythme de travail, voire d'interrompre complètement son activité le temps du traitement. Cette rupture est brutale et difficile, d'autant qu'un tiers des cancers touchent aujourd'hui des personnes en pleine activité professionnelle*.

**Étude de la DREES – Direction de la Recherche, des Études, de l'Évaluation et des Statistiques – ministère du Travail, mai 2006.*

Chaque patient envisage l'avenir à sa façon ; certains hommes, notamment, refusent de capituler devant la maladie et continuent à travailler presque comme si de rien n'était... Toutefois, cette « simulation » s'avère rapidement difficile à surmonter, car la fatigue finit souvent par rattraper le malade.

C'est cette fatigue, le plus souvent invisible à l'œil nu, qui remettra en question la durée et les horaires de travail. Elle est récurrente chez les malades soignés pour un cancer, puisque près de 80 % des personnes sous chimiothérapie se plaignent d'asthénie chronique (affaiblissement de l'état général). Il va donc leur falloir composer avec les effets secondaires induits par le traitement médicamenteux et par la capacité générale à honorer leur contrat professionnel.

C'est cette fatigue, le plus souvent invisible à l'œil nu, qui remettra en question la durée et les horaires de travail.

S'organiser au travail

À l'occasion de la consultation « d'annonce », votre cancérologue vous explique le traitement et ses effets secondaires. Il vous recommande éventuellement un arrêt de travail momentané afin que vous appreniez à vous organiser plus sereinement. Sachez néanmoins que, tant que cela leur semblera possible, les médecins vous motiveront toujours pour que vous continuiez à travailler en aménageant votre rythme. En effet, les études prouvent que le maintien au travail a un impact psychologique positif qui permet de minimiser le statut de malade et d'exister après l'annonce de la maladie, accueillie comme un choc… Cet arrêt de travail est l'occasion de bien expliquer à votre employeur votre maladie et les effets secondaires du ou des traitements qui vous seront administrés. Il sera ainsi plus à même d'entreprendre un aménagement de votre poste cohérent avec votre parcours de soins et votre état général…

Un bon compromis : le mi-temps thérapeutique

Vous pouvez choisir de conserver votre travail la moitié du temps pour ne pas trop vous fatiguer. C'est intéressant à double titre : cela vous aide à penser à autre chose qu'à la maladie et aussi à subsister professionnellement. Pour les personnes qui ne se sentent pas capables de reprendre une activité à temps plein, c'est une option intéressante qui leur permet de quitter leur job et de le reprendre ensuite en douceur. Il faut en faire conjointement la demande à son médecin et à son employeur pour percevoir les indemnités de la Caisse primaire d'assurance maladie (CPAM) et le complément de l'employeur.

C'est intéressant à double titre : cela vous aide à penser à autre chose qu'à la maladie et aussi à subsister professionnellement.

• **Les conditions pour bénéficier d'un mi-temps thérapeutique**
Il vous faut :
– une prescription d'arrêt de travail de 6 mois minimum ;
– une reprise à temps partiel prescrite par votre médecin traitant ;
– l'accord de votre employeur.

• **Les démarches à effectuer**
– Envoyez l'attestation de votre médecin traitant à la CPAM, car c'est elle qui vous versera les indemnités compensatrices égales à la moitié de votre salaire.
– Rendez-vous à la visite de préreprise auprès du médecin du travail : la fiche d'aptitude qu'il remplira sera transmise à votre employeur pour accord.
– Adressez au médecin-conseil de la CPAM une demande écrite avec un certificat de reprise à mi-temps thérapeutique.
– Sachez par ailleurs que le mi-temps vous est d'abord prescrit pour une durée de 3 mois, renouvelable sur avis du médecin-conseil de la CPAM. Le mi-temps thérapeutique ne peut être prolongé au-delà d'un an.

Garder le contact avec son travail

Dans certains cas, vous serez contraint d'arrêter totalement votre travail le temps du traitement pour entamer vos soins et votre convalescence à domicile. Les psychologues recommandent alors de rester le plus possible en contact avec le milieu du travail. Il suffit de quelques gestes : un coup de fil à un collègue, un bref passage au bureau, une petite carte postale si vous êtes en convalescence. En tant qu'employé, vous montrerez ainsi que vous continuez à vous intéresser à votre entreprise et que vous conservez un lien avec elle malgré votre cancer.

L'arrêt de travail

Les modalités en sont différentes selon votre situation professionnelle.

• Si vous êtes salarié de droit privé

En cas d'arrêt de travail, le médecin en établit la prescription et indique la durée probable de l'interruption. Dans les quarante-huit heures, vous devez en avertir :
– d'une part, votre employeur, à qui vous devez adresser le feuillet n° 3 du formulaire d'arrêt maladie ;
– d'autre part, votre CPAM, à qui vous devez adresser les feuillets n° 1 et n° 2.

En cas d'hospitalisation, le bulletin de situation remplace l'avis d'arrêt de travail.

Durant votre arrêt de travail, vous ne devez pas quitter la circonscription de la CPAM dont vous dépendez ; cependant, vous pouvez bénéficier d'une autorisation médicale de repos hors résidence de la part de votre caisse primaire.

En cas d'hospitalisation, le bulletin de situation remplace l'avis d'arrêt de travail. Sachez qu'un exemplaire en sera envoyé à votre employeur et un autre à votre CPAM.

• Si vous êtes fonctionnaire

En dehors des congés maladie de courte durée, si votre état de santé vous met dans l'impossibilité d'exercer vos fonctions durant une période prolongée, vous pouvez bénéficier d'un congé de longue maladie. Sachez que la durée de ce congé est d'un an, mais qu'elle peut éventuellement être prolongée par un congé de longue durée.

Le cancer étant une maladie de longue durée, votre salaire peut être maintenu pendant trois ans.

• Si vous êtes membre d'une profession indépendante

Vous pouvez prétendre à des indemnités si vous avez souscrit un contrat auprès d'une assurance volontaire et si vous êtes à jour de vos cotisations. Pour cela, renseignez-vous auprès de votre organisme assureur.

• Si vous êtes demandeur d'emploi

Vos droits aux allocations versées par l'Assedic sont suspendus ; la CPAM vous verse alors des indemnités journalières calculées en fonction de vos périodes salariées antérieures à votre situation de chômage.

Le retour au travail

La reprise de l'activité professionnelle est loin d'être une initiative anodine. Elle constitue une étape importante du retour à la vie normale et, dans l'esprit des patients, elle est le signe d'une victoire sur la maladie. Vous ne prendrez donc pas ce changement à la légère et vous devrez le préparer. D'ailleurs, le chapitre « Accompagner » du plan Cancer insiste notamment sur l'amélioration du retour à l'emploi des patients atteints d'un cancer.

• L'aide à la reprise au travail : l'équipe médicale et la visite de préreprise

Les hôpitaux disposent d'une équipe médicosociale (médecin du travail, assistante sociale, psychologue) qui permet de faciliter le retour des patients au travail.
Il existe même une visite de préreprise au cours de laquelle le médecin du travail évalue votre état de santé, votre motivation et votre confiance en vous. En tant que patient salarié, vous devez en faire la demande auprès du médecin du travail. Dans l'idéal, cette visite est fixée deux ou trois mois avant la date de reprise prévue. Le médecin du travail se met en contact avec votre employeur pour éventuellement alléger votre poste et explorer une reconversion. Le secret médical demeure absolu.
Pour qu'elle soit réussie, vous devez préparer votre reprise du travail en coordination avec le médecin traitant, le médecin-conseil de la Sécurité sociale et le médecin du travail.
Dans tous les cas, il est important d'être suffisamment fort et remis d'aplomb pour retrouver le rythme et l'ambiance professionnels. Il n'y a qu'à suivre sur Internet les forums de discussions (www.doctissimo.fr) pour constater que de nombreux patients ont voulu reprendre le travail très tôt pour donner la preuve de leur rétablissement. Ils ont craqué au bout de quelques semaines et ils s'accordent tous aujourd'hui pour dire qu'il faut patienter au moins

trois mois après la fin du traitement pour se jeter de nouveau dans le bain.

• Affronter de nouveau le monde du travail

La reprise du travail n'est pas de tout repos. Dans certains cas, on doit même y associer la notion de « reconquête ». La HALDE (Haute Autorité de Lutte contre les Discriminations et pour l'Égalité) estime qu'aujourd'hui « on peut guérir du cancer, mais on en meurt socialement ». Le patron qui craint les absences répétées ou qui doute désormais du côté opérationnel de son employé pourra même trouver un motif pour le licencier ou le pousser à la démission. Selon une enquête de la DREES (mars 2008), près d'un malade sur dix dit avoir été victime d'une attitude de stigmatisation dans le milieu professionnel, les plus exposés étant les jeunes ou les malades aux revenus modestes.

La reprise du travail n'est pas de tout repos. Dans certains cas, on doit même y associer la notion de reconquête.

• Le reclassement professionnel

Il arrive que la maladie, invalidante, oblige à vous déclarer inapte pour le poste que vous occupiez auparavant. C'est le médecin du travail qui prononce cette inaptitude après deux examens médicaux (espacés de quinze jours) et l'étude de votre poste. On vous propose alors des aménagements : mutation, transformation de poste,

aménagement d'horaires – propositions que votre employeur doit prendre en compte.
Dans certains cas, votre contrat de travail peut être suspendu le temps d'un stage de reclassement professionnel. Votre employeur dispose alors d'un délai d'un mois pour vous reclasser. Si, passé cette date, vous n'êtes ni reclassé ni licencié, il est tenu de vous verser le salaire de votre emploi précédent.

C'est la COTOREP (Commission Technique d'Orientation et de REclassement Professionnel) qui prend les décisions après que le dossier a été examiné avec l'employeur, le médecin du travail et la Sécurité sociale (aide possible d'associations telles que l'AGEFIH [Association nationale pour la GEstion du Fonds pour l'Insertion des personnes Handicapées]). En cas d'échec sera envisagé un reclassement avec la Sécurité sociale ou la COTOREP.

Selon la situation et la demande des personnes, la COTOREP peut les orienter vers une formation.

La COTOREP dépend du ministère des Affaires sociales, du Travail et de la Solidarité, et possède une antenne dans chaque département, siégeant le plus souvent auprès de la Direction départementale du travail et de l'emploi (DDTE). Elle est compétente pour apprécier la situation des personnes handicapées adultes à partir de 20 ans (ou 16 ans dans certains cas) selon un classement dans l'une des catégories A, B ou C, au regard de la

gravité du handicap et de la capacité à exercer une activité professionnelle. Cette reconnaissance est obligatoire pour envisager une aide à la réinsertion professionnelle, mais n'a pas d'incidence sur l'attribution des allocations et de la carte d'invalidité.
Selon la situation et la demande des personnes, la COTOREP peut les orienter vers une formation, vers un établissement de travail protégé ou décider qu'elles relèvent d'un emploi en milieu ordinaire du travail.

• **La retraite au titre de l'inaptitude**
Si vous avez 60 ans ou plus et que votre médecin traitant vous juge incapable (physiquement ou psychologiquement) de reprendre le travail, vous pouvez faire valoir vos droits à la retraite au titre de l'inaptitude.

Liens utiles

« Démarches sociales et cancer » :
FNCLCC
Tél. : 01 44 23 04 68
www.fnclcc.fr

Site du ministère de l'Emploi, de la Cohésion sociale et du Logement :
www.travail-solidarite.gouv.fr

Informations pratiques (formulaires arrêts de travail) :
www.ameli.fr/assures/droits-et-demarches/par-situation-medicale/index.php

Pour des problèmes d'inaptitude à un poste : publications Cinergie
www.handitrav.org/publications/inapte.html

« **Maladies chroniques et emploi** » – un guide pratique créé par des personnes vivant avec une maladie chronique pour apprendre à réconcilier travail et santé :
www.pathologies-et-travail.org

Droit des malades infos
Tél. : 08 10 51 51 51 : une ligne téléphonique pour parler à des médecins et des juristes.

La Haute Autorité de Lutte contre les Discriminations et pour l'Égalité peut être saisie gratuitement dans tous les cas de discrimination au travail.
HALDE
11-15, rue Saint-Georges, 75009 Paris
Tél. : 08 10 00 50 00.
www.halde.fr

Si vous ne pouvez pas reprendre le travail, adressez-vous à la MDPH (Maison Départementale des Personnes handicapées, anciennement COTOREP). Cet organisme permet une reconnaissance du handicap et aide à la réorientation professionnelle.
www.handiplace.org

Troubles

Comme vous le savez, les traitements contre le cancer bouleversent plus ou moins l'équilibre physiologique. Par conséquent, il se peut que vous ressentiez, quelques jours ou quelques semaines après le début de votre chimio ou de votre radiothérapie des sensations de gêne que vous ne connaissiez pas. Vos sens risquent d'être perturbés, notamment le goût, mais aussi l'équilibre.

Les effets des produits peuvent également se répercuter sur votre digestion. La plupart de ces troubles sont passagers et s'estomperont progressivement quelques jours après la fin du traitement. Mais notre vocation ici est de vous les énumérer et de vous aider à vivre avec sans trop d'anxiété ni d'appréhension.

Troubles neurologiques et troubles de l'équilibre

Certains produits comme le « cisplatine », « l'oxaliplatine », le « docétaxel », qui sont utilisés dans le cas de cancers de l'ovaire, du poumon ou de lymphomes peuvent entraîner des sensations de fourmillements dans les mains et les pieds. D'autres troubles, comme une sensation de froid, sont parfois constatés par les patients.
Des modifications de l'audition (difficultés à entendre, bourdonnements) et des troubles de l'équilibre (sensations de vertige) sont également observés chez certains malades en fonction de la nature de la chimiothérapie. Il faut absolument mentionner ces effets secondaires à votre médecin qui conviendra d'un aménagement du traitement.

Troubles du transit

Des épisodes de diarrhée et de constipation peuvent survenir quelques jours après le début des traitements de chimio ou de radiothérapie.

La diarrhée. Pourquoi ?

Les selles liquides seront d'autant plus fréquentes que le patient a suivi une ablation chirurgicale de tout ou partie de l'estomac, du pancréas, de l'intestin grêle ou du colon. Dans ces cas, en effet, l'absorption et la digestion des

aliments sont perturbées. Pour les malades soignés par radiothérapie de l'abdomen ou du bassin, il est fréquent que la muqueuse de l'intestin soit irritée, ce qui provoque des diarrhées quelques semaines après le début du traitement.
Enfin, la chimiothérapie peut provoquer également une débâcle intestinale souvent passagère chez des patients affaiblis infectés par une bactérie ou des champignons, ce qui sera traité avec des antibiotiques ou des ralentisseurs du transit.

« Petit menu type » pauvre en fibres irritantes et facile à digérer :
- **Poisson poché**
- **Riz blanc + carottes**
- **Produit laitier (yaourt ou fromage blanc ou petits-suisses)**
- **Banane bien mûre**
- **Pain blanc**

Comment lutter contre la diarrhée (autrement que par les médicaments) ?
La plupart du temps, on la traite par des repas fractionnés et des antiseptiques, les fameux « pansements gastriques ».
Évidemment, vous devez adapter votre alimentation (repas légers et beaucoup d'eau). Nous vous proposons ainsi quelques petits « trucs » :
– **Évitez les aliments trop froids** et préférez la température ambiante.
– **Privilégiez les aliments comme le riz,** les carottes, les bananes et le chocolat.
– **Buvez en grande quantité** (au moins 2 à 3 litres d'eau ou de bouillon/soupe par jour) pour compenser

les pertes, en évitant les boissons glacées et les boissons gazeuses.
– **Évitez les légumes crus et secs,** les fruits crus et les féculents complets.

La constipation. Pourquoi ?
Quelques chimiothérapies mais aussi des antivomitifs et des analgésiques peuvent vous constiper. Ajoutez à cela que vous êtes souvent plus sédentaire durant les traitements et que vous changez vos habitudes alimentaires : voilà qui a de quoi perturber votre transit !

Petit plus : vous pouvez également vous procurer en pharmacie des produits type Prunodiet® (laboratoire DHN) ainsi que des fibres en poudre à rajouter à l'alimentation.

Comment lutter contre la constipation (autrement que par les médicaments) ?
On parle de constipation au bout de 3 jours d'absence de selles. Il faut alors avertir votre médecin traitant qui vous préconisera des laxatifs doux et adaptés.
Vous prendrez soin, de la même manière, de changer votre alimentation en privilégiant les fibres et en buvant au moins 1 litre d'eau par jour.

Voici quelques conseils utiles :
– Augmentez la ration de fruits et légumes, en consommant du pain complet, des légumes secs, des céréales complètes. Plus vous mangerez de fibres, moins vous souffrirez de ballonnements.

– Mastiquez bien vos aliments.
– Hydratez-vous (au moins 1,5 litre par jour) en privilégiant les eaux riches en magnésium du type Hépar®.
– Essayez de maintenir un minimum d'activité physique (marche, vélo, natation).

Exemple de repas riche en fibres :

• Entrée de crudités : ½ pamplemousse, tomate, concombre, salade verte
• Viande ou poisson
• Plat composé de légumes secs (lentilles, haricots rouges, pois chiches, haricots blancs…) et de légumes cuits (aubergines, haricots verts…)
• Produit laitier (yaourt, laits fermentés, fromage)
• Fruit cru (pomme, poire, clémentine, raisin, fraises, framboises…)
• Pain complet
• Boisson : eau d'Hépar®

Troubles du système urinaire

L'élimination de certains médicaments présents dans la chimio peut modifier provisoirement la couleur de vos urines (selon certains produits utilisés, elles peuvent être roses, vertes ou d'un jaune lumineux). Ne vous en inquiétez pas. En revanche, d'autres produits peuvent être irritants et provoquer des sensations de brûlure ou de douleur lors de la miction.
Buvez beaucoup pour éliminer !

Liens utiles

www.aprifel.com : un site d'informations sur l'alimentation, notamment sur la nutrition et le cancer.

Vaccin contre le cancer du col de l'utérus

Il existe aujourd'hui pour les jeunes filles un vaccin pour prévenir les risques d'infection au *Papillomavirus*, sexuellement transmissible. Le Gardasil® (Sanofi Pasteur) protège contre les 4 souches fondamentales du virus responsables de plus de 70 % des cancers du col de l'utérus.

Selon le ministère de la Santé, il est recommandé de vacciner toutes les jeunes filles de 14 ans avant leurs premiers rapports sexuels pour réduire de 70 % le risque de cancer du col qui a pour origine cette MST très contagieuse. Le vaccin est remboursé à 65 % par la Sécurité sociale (165 euros la dose et 3 injections nécessaires). Évidemment, il ne permet pas de protéger contre les infections déjà existantes et ne remplace pas les dépistages aux frottis – indispensables, réalisés par votre gynécologue – mais, à terme, ce vaccin pourrait contribuer à éradiquer ce cancer.

À terme, ce vaccin pourrait contribuer à éradiquer ce cancer.

Liens utiles

www.spmsd.fr : Sanofi Pasteur MSD.

www.passezlinfo.fr : site éducatif sur le cancer du col de l'utérus et le *Papillomavirus* humain.

Yeux

La chimio provoque parfois la perte des cils et des sourcils. C'est à ce moment-là que nous prenons conscience de leur importance dans notre identité, car leur absence crée d'emblée un autre visage… Pour masquer leur disparition, vous pourrez utiliser quelques astuces de maquillage. Pour les sourcils : un trait noir ou marron ; pour les cils : compensez leur absence par un beau trait d'eye-liner qui mettra en valeur la profondeur de votre regard.

À savoir

La chute des cils et des sourcils s'accompagne parfois de douleur aux yeux, qui n'ont plus de protection naturelle. Chez certains patients, les yeux pleurent et piquent, les paupières rendues plus sensibles ont tendance à gonfler et s'irritent régulièrement. En cas de conjonctivite de ce type, votre médecin pourra vous proscrire un collyre adapté.
À l'inverse, si vos yeux sont douloureux mais plus secs, n'hésitez pas à acheter vous-même (pas besoin d'ordonnance) des sérums inoffensifs du type Dacryosérum® ou Biocidan® pour les rincer et les humidifier (dosettes stériles).

Idées beauté pour les femmes

• **Le « kit sourcil »** (35 euros) **:** un produit qui permet de recréer l'illusion, en l'absence de sourcils et même s'il reste des sourcils clairsemés.
• **Les kajals ayurvédiques** (100 % naturels, 25 euros) : à l'origine, ils ont été créés par la médecine indienne pour les yeux qui piquent et qui manquent de larmes. Les patientes pourront utiliser ces produits comme crayon à yeux, ombre à paupières ou eye-liner.

Liens utiles

Vous pouvez commander ces produits auprès de la boutique L'Embellie :
29, boulevard Henri-IV, 75004 Paris
Tél. : 01 42 74 36 33
www.embellieboutique.com

ON MENSONGES

ICEMIE FATIGUE

TION SURPOIDS

R LARMES

DOULEUR

CONTAMINATION

HESE

NAUSEES

HUTE METASTASE

SECHERESSE

CHEVEUX

Quelques professionnels du service d'oncologie de la Pitié-Salpêtrière témoignent

Bénévole

Sophie* est l'une des bénévoles de l'association « Abeilles » du service d'oncologie médicale de la Pitié-Salpêtrière. Elle suit les patients une fois par semaine en hôpital de jour ou en soins intensifs.

Comment accompagnez-vous les malades ?

– De manière très discrète. Nous allons voir les patients sur recommandation des infirmiers ou si nous croisons un regard qui semble nous dire : « J'ai besoin de vous. » Nous sommes là en priorité pour apporter une écoute aux patients les plus isolés et les plus retranchés. Avec nous, les malades peuvent se confier librement.

* Prénom d'emprunt utilisé afin de garder l'anonymat.

Avez-vous une manière de vous présenter pour mettre les patients en confiance ?
– Cela se fait très simplement. J'explique qui je suis, que j'assure ces vacations à tour de rôle avec d'autres bénévoles. Je donne mon prénom aux patients et je leur propose de les accompagner, de les soutenir, de les écouter. En général, nous nouons les contacts en distribuant une petite collation : des boissons chaudes et des biscuits. Cela permet d'offrir d'emblée une présence rassurante et chaleureuse.

Est-ce justement votre statut de bénévole qui aide les patients à se confier aussi facilement ?
– Certainement. Nous portons des blouses jaunes, mais notre rapport aux malades est très anonyme. Cette discrétion permet de les faire parler et surtout de les écouter, en fonction de leurs préoccupations, morales ou matérielles. La plupart des patients nous disent des choses qu'ils n'oseraient jamais confier à leurs proches.

Avez-vous un lieu dédié à la discussion avec les malades ?
– Non. Nous déambulons dans les services en hôpital de jour, nous allons voir les patients dans leur chambre lorsqu'ils sont en soins intensifs et qu'ils ont besoin ne

serait-ce que d'une présence, d'une main tendue, au sens propre du terme. Et puis nous accompagnons ceux qui le veulent dans les boxes de chimio ou alors nous nous promenons dans le parc pour une discussion à l'air libre !

Quels sont les témoignages qui vous marquent le plus ?

– Sans doute les histoires des mères de famille qui n'osent jamais flancher devant leur mari et leurs enfants. Malgré la souffrance et la lourdeur des traitements, elles font comme si de rien n'était. Et fatalement, à un moment, il faut leur permettre de s'exprimer et de raconter leur difficulté. Chez les « Abeilles », nous sommes là pour cela.

Avez-vous un rôle d'accompagnement médical ?

– En quelque sorte, oui, puisque dans certains cas nous allons voir le psychologue pour lui dire : « Madame X ou monsieur Y va mal, nous ne pouvons rien pour lui et il/elle aurait certainement besoin de te voir. » Nous avons un rôle de relais, et la communication fonctionne très bien entre les équipes soignantes et le réseau de bénévoles.

Sortez-vous enrichie de toutes ces expériences ?

– Oui, car cela m'apporte beaucoup de bonheur. On voit les gens se transformer, aller mieux et, de bénévole en bénévole, nous nous passons le mot pour venir en aide à telle ou telle personne au moment où il/elle en a le plus besoin. Le regard des malades ne trompe pas : ils sont reconnaissants. Alors, bien sûr, ce « travail » suppose de la disponibilité et de l'optimisme. Nous en avons !

Hypno-thérapeute

Après un parcours d'anesthésiste et de réanimateur, le docteur Maurice Soustiel a décidé de passer un diplôme universitaire d'hypnothérapeute. Il pratique la méthode d'Erickson*. Il assure deux fois par mois des vacations dans le service d'oncologie médicale de la Pitié-Salpêtrière.

* L'hypnose, selon Erickson, considère que le sujet possède en lui-même les solutions appropriées à ses problèmes, mais qu'il est incapable de les mobiliser en raison de ses limitations conscientes.

Comment définiriez-vous la thérapie par l'hypnose ?
– C'est une approche médicale du patient qui n'a évidemment pas vocation à se substituer au traitement. Je suis là pour lui faire prendre conscience d'un certain nombre de choses qui, à la fin d'une séance, pourront l'aider à se battre plus sereinement contre la maladie.

Racontez-nous la manière dont se déroule une séance d'hypnothérapie (45 minutes).
– Pour simplifier, il y a trois phases. Pendant les cinq premières minutes, je pose quelques questions basiques aux malades, une manière de mieux les connaître. Et puis, je leur demande de définir le but de leur visite, en m'exprimant à peu près ce qu'ils recherchent et ce qu'ils attendent de la séance. Ensuite, pendant dix minutes vient la deuxième phase : le temps de la fermeture, ou de la relaxation, si vous voulez.
Le malade est allongé, attentif et réceptif. Je l'aide à évacuer son stress en lui parlant tranquillement. Quand je sens qu'il est détendu, j'entame alors la phase dite de la suggestion.

C'est le jeu entre nos deux « je » qui nous permet d'entrer dans la phase d'hypnose, un temps de veille active.

C'est la phase clé de l'hypnose ?
– En quelque sorte... Disons que c'est le moment où je leur fais évoquer quelque chose d'agréable. Ma voix les entraîne. C'est le jeu entre nos deux « je » qui nous

permet d'entrer dans la phase d'hypnose, un temps de veille active où je formule avec le patient le sens de sa recherche.

Quelles sont les demandes que vous rencontrez généralement ?

– La plupart des malades du cancer que je reçois viennent pour mieux supporter la douleur et le stress liés aux traitements. Alors, pendant l'hypnose, je leur explique par exemple que, s'ils sont venus me voir, s'ils se sont levés et ont fait la démarche, c'est que la douleur était supportable... Je déplace leur obsession, en somme...

Je les aide à puiser en eux la force de faire le bon choix, de trouver la bonne solution à leurs interrogations.

Il y a aussi des malades qui ont les idées plus claires en sortant d'une séance d'hypnothérapie. Je les aide à puiser en eux la force de faire le bon choix, de trouver la bonne solution à leurs interrogations.

C'est efficace et automatique ?

– Pas au sens des séances d'hypnose contre le tabac, à l'issue desquelles souvent le patient n'allumera plus jamais une cigarette de sa vie...

Dans l'hypnothérapie pour les malades du cancer, le résultat est moins perceptible. C'est une thérapie brève, c'est-à-dire l'un des éléments que l'on peut donner au patient pour lui permettre de mieux lutter contre la maladie.

Y a-t-il des patients plus enclins à venir vous voir ?

– J'ai remarqué que, étonnamment, 80 % de mes malades sont des femmes, plutôt jeunes et actives, entre 20 et 45 ans. J'imagine qu'elles optent pour ces séances parce qu'elles doivent mener de front leur rôle de femme, de mère et de travailleuse, et qu'il leur faut des aides extérieures, que l'on pourrait qualifier de « douces ». Globalement, toutes ces personnes ont un rapport bien fondé au corps. Elles pratiquent la danse, le yoga, la natation. Elles savent se détendre et se mettre en confiance pour « s'écouter »...

Étonnamment, 80 % de mes malades sont des femmes, plutôt jeunes et actives, entre 20 et 45 ans.

Vous avez donc un rôle d'adjuvant médical ?

– Disons que j'écoute le patient et que je l'aide à reformuler ses désirs et ses priorités. En général, une séance suffit... Il est donc rare que des malades reviennent me voir... ou alors, c'est parce que l'hypnose les a déjà aidés à se sentir plus en phase avec eux-mêmes et qu'elle joue désormais un rôle d'accompagnement psychique...

Infirmière de consultation d'annonce

Florence Astorg est infirmière de consultation d'annonce depuis 2005 dans le service d'oncologie médicale de la Pitié-Salpêtrière. Il s'agit d'un nouveau poste créé dans le cadre du plan Cancer.

Ses consultations sont proposées quotidiennement aux patients afin qu'ils bénéficient de meilleures conditions d'annonce du diagnostic de leur maladie.

Vous êtes considérée comme une « super-infirmière » ; comment définiriez-vous votre fonction ?

– La consultation infirmière joue un rôle clé de coordination dans le dispositif du plan Cancer. L'idée est de créer un lien privilégié de dialogue, d'écoute et de confiance entre le patient et l'infirmière. Je décrypte ce que le malade a réellement compris lors de l'entretien avec le médecin et je lui explique au besoin les différentes phases du protocole. Je suis un peu là pour vulgariser la partie thérapeutique et, surtout, pour répondre à ses questions.

L'idée est de créer un lien privilégié de dialogue, d'écoute et de confiance entre le patient et l'infirmière.

Le rendez-vous avec l'infirmière de consultation d'annonce est-il obligatoire ?

– Disons qu'il s'agit d'une étape fortement recommandée autant par les médecins que par le personnel soignant, y compris les secrétaires. La consultation est proposée deux ou trois jours après l'annonce, de façon à ce que les patients aient le temps d'assimiler les informations médicales. Ils arrivent ensuite avec une liste de questions concernant leur traitement. Je les reçois dans mon bureau, mais je peux aussi me déplacer en hospitalisation ou en hôpital de jour. Une permanence téléphonique est également à la disposition des patients.

J'ai un poste transversal, certes, qui demande de nouer une vraie confiance avec le médecin.

Vous avez donc des compétences médicales réelles pour répondre ainsi à ces interrogations ?

– Les infirmières de consultation d'annonce ont un minimum d'ancienneté. Elles connaissent les pathologies mais aussi les différents protocoles de chimiothérapie. Nous bénéficions également d'une formation continue, et les médecins n'hésitent pas à nous envoyer en congrès pour que nous soyons informées sur les dernières thérapeutiques.

Vous ne vous heurtez jamais aux compétences des médecins ?

– Non, car nous sommes complémentaires. J'ai un poste transversal, certes, qui demande de nouer une vraie confiance avec le médecin, je ne remets évidemment jamais sa parole en cause. En revanche, je l'explique pour la rendre, le cas échéant, plus compréhensible aux patients.

Pendant la consultation, qui dure en moyenne 1 heure à 1 heure 30, l'infirmière a un rôle pédagogique dans l'explication de la maladie et dans la prise en charge qui va suivre dans le service. J'accompagne souvent les patients jusqu'à une prise de rendez-vous avec un spécialiste, ce qui les aide à être acteurs de leur maladie.

Viennent-ils vous voir régulièrement ?

– Je reçois les patients seuls ou avec leur famille, leurs amis... Ensuite, la parole se libère et la confiance s'installe, et ils reviennent me voir seuls. Certains malades en récidive me demandent aussi des conseils en cas de changement de traitement et de protocole. Je m'aperçois que le rôle de « référent » que l'infirmière de consultation joue dans le service devient très vite essentiel...

Je m'aperçois que le rôle de « référent » que l'infirmière de consultation joue dans le service devient très vite essentiel.

Masseuse

Claudia Gouda est acupunctrice de formation. Elle travaille aujourd'hui à mi-temps avec des techniques énergétiques chinoises pour la relaxation et le bien-être au service d'oncologie de la Pitié-Salpêtrière.

« Comment travaillez-vous à l'hôpital ?

– J'ai plusieurs techniques, tout dépend de l'état de santé du patient. En général, je reçois les gens dans un petit local de massage pour une séance de relaxation de 30 minutes. Ils passent avant la chimio ou ils viennent me voir en consultation. Je suis bien organisée, avec une table et une chaise de massage. Et puis, je passe aussi dans les boxes de chimio et dans les chambres pour les décontracter avec de la réflexologie plantaire et la méthode du tuina (sorte de shiatsu) pour le dos. C'est d'ailleurs ce que préfèrent les messieurs ! Je fais avec les moyens du bord, le tout est de leur changer les idées…

C'est difficile, justement, de créer une petite bulle de décontraction dans un hôpital ?

– Nous avons tout misé sur notre bonne humeur et sur la décoration de notre local : une ambiance tamisée, un peu de musique zen, un tableau bouddhiste et quelques effluves d'huiles essentielles… Dans ces circonstances, je crois que mes patients arrivent à changer d'horizon et à s'évader un peu…

Vous dites que le massage n'est pas une coquetterie mais une nécessité ?

– Absolument. Dans l'idéal, je suis convaincue que la plupart des patients auraient besoin d'être massés, sauf en cas de contre-indication médicale. C'est fondamental lorsque l'on se sent perdu dans son corps. Vous savez, le stress peut être évacué par les massages, à partir du moment où l'on a localisé l'endroit où il s'accumule – dans le haut du corps, sur le ventre ou sur les lombaires, par exemple… Évidemment, je ne suis pas kiné : je ne manipule pas, je relaxe.

Tous vos patients se laissent-ils chouchouter ?

– Oui, il y a toujours une séance préliminaire où je prends le temps de les connaître, de discuter avec eux, de regarder leur dossier médical pour ne pas commettre d'impair. Je ne masse pas, par exemple, les bras en cas de troubles du système lymphatique…

Dans mon local, je mets de la musique, je dis à mes patients de bien respirer et de se laisser porter par mes massages, que je peux faire avec un peu d'huile. C'est doux, réconfortant, et ça marche… Combien de fois m'a-t-on dit : « Avant, je venais à reculons, je prenais ces séances comme une torture ; maintenant, qu'est-ce que ça me manque quand on ne me masse pas ! »

Justement, vous donnez quelques conseils à l'entourage pour répéter les mouvements à la maison ?

– Oui, car je rencontre beaucoup de couples qui viennent à la chimio et qui passent me voir. Au fur et à mesure des massages, j'explique au mari ou à la femme qu'il serait bon de répéter ces gestes au quotidien. Je donne aussi quelques exercices faciles d'étirements à faire à la maison ainsi que des petites astuces. Par exemple, si vous avez des douleurs au niveau des épaules ou du cou, mettez-vous une bouillote chaude ou un coussin chauffant spécial micro-onde, vous verrez comme cela soulage !

Tous les patients assument-ils le rapport au corps au bout de quelques séances ?

– Il faut effectivement un temps d'adaptation pour que chacun joue le jeu, en particulier les malades les plus âgés, qui prennent néanmoins beaucoup de plaisir à venir me voir. Mais c'est toujours plus difficile de les faire se déshabiller pour un massage complet du dos et des jambes. On n'évacue pas tout le premier jour, mais je vous assure qu'au bout de quelques séances, le temps d'un massage, tous les patients oublient leur douleur, leurs cicatrices et même leur maladie…

Soins palliatifs

Le docteur Lévy-Soussan est responsable de l'unité mobile d'accompagnement et de soins palliatifs à la Pitié-Salpêtrière. À la tête d'une petite équipe pluridisciplinaire composée de médecins, d'infirmières et de psychologues, elle prend en charge les malades atteints de maladies graves.

Comment vous différenciez-vous des autres équipes de psychologues et de médecins des unités de soins ?

– Notre équipe est « mobile », c'est-à-dire que nous avons vocation à intervenir sur l'ensemble des services. D'ailleurs, physiquement, nous nous tenons à l'écart dans une petite maison coquette à l'entrée de l'hôpital, distincte des lieux d'hospitalisation. C'est une maison dans laquelle nous pouvons accueillir les patients et leurs proches, mais, le plus souvent, nous les rencontrons sur place, dans les services où ils viennent consulter. Pour le reste, nous intervenons à la demande du cancérologue, du réanimateur, du neurologue ou, lorsque le malade ou sa famille le souhaite, le plus souvent à l'occasion d'une manifestation de souffrance. Nous nous présentons comme une équipe de soutien et nous prenons le temps d'écouter et d'accompagner les patients.

Nous intervenons à la demande du cancérologue, du réanimateur, du neurologue ou lorsque le malade ou sa famille le souhaite.

La plupart de vos malades viennent vous voir pour un même symptôme : la douleur...
– Oui, il faut dire qu'en général nous sommes appelés lorsque la douleur est complexe et rebelle aux traitements... Nous regardons alors comment le patient réagit aux antalgiques et puis nous proposons, le cas échéant, des changements de stratégie, en modifiant par exemple les doses ou les molécules. Notre démarche se fait évidemment dans le cadre d'un échange avec l'équipe de cancérologie, qui connaît l'histoire du malade et son protocole.

Vous intervenez également sur le projet de soins ?
– Absolument. Nous devons comprendre ce que le patient vit. Donc, nous prenons un long temps pour l'écouter et échanger avec lui. C'est un temps précieux qui vient s'inscrire en complémentarité de la consultation des oncologues. Grâce à des visites qui durent souvent 2 heures, nous sommes en mesure d'apporter au cancérologue des éléments importants à l'élaboration du projet de soins à venir. Il s'agit d'entendre la position du patient par rapport à sa maladie et aux traitements, et quelles sont les priorités du moment. Il m'arrive de dire à certains malades, par exemple : « Il y a une incertitude médicale sur la pertinence de poursuivre la chimiothérapie. Qu'en pensez-vous ? » Je laisse au patient le soin de réfléchir. Cela lui permet bien souvent d'évoquer le vécu actuel de la maladie, des derniers traitements, de ses désirs. La décision, évidemment, reste médicale, mais nous essayons au mieux de mener la réflexion avec le patient. Cette approche humaine, du temps « psychique », aux côtés du temps médical est fondamentale.

Vous êtes donc une sorte de référent médical entre le médecin et le malade ?

– Je préfère le terme d'« accompagnant ». Souvent, les malades ne demandent pas tant d'être soignés que de ne pas être abandonnés. Ils ont besoin de bons soins, évidemment, mais ils ont aussi besoin d'être humainement entendus… Nous essayons donc d'être garants de cette continuité entre le médecin et le patient en dépit de la violence infligée par la maladie.

Souvent, les malades ne demandent pas tant d'être soignés que de ne pas être abandonnés.

Et puis, il y a cette autre mission qui vous incombe : l'accompagnement en fin de vie ?

– Oui, et dans ce cas nous travaillons encore plus étroitement au contact des proches et des équipes soignantes. Nous nous efforçons d'être encore plus exigeants par rapport à ce qu'il convient de faire pour le patient en accord avec le médecin et la famille. Je prends un exemple : doit-on faire un énième scanner, qui sera certainement une étape futile compte tenu de la situation du malade ?

Et puis, outre l'enjeu professionnel, il est important que la vie de la personne malade, a fortiori sa fin de vie, ne soit pas « confisquée » par la médecine. D'autant qu'à ce moment, les traitements ne permettent plus de ralentir la maladie. La relation que nous allons nouer avec les patients et leurs proches ainsi que le suivi clinique nous permettent alors de définir ensemble le lieu d'accompagnement du patient, à la maison ou en unité de soins palliatifs, tout en respectant l'harmonie et la cohésion dans la famille.

P

R

S

T

U

V

Y

Édition : Sylvie Désormière, Barbara Sabatier et Adèle Vay
Conception graphique : Béatrice Patrat
Maquette : Marilo Pignier et Natacha Marmouget
Relecture : Armelle et Bernard Heron, Mariane Becker

www.editions-mango.com

ISBN : 9782842707880
Photogravure : Alliage
Achevé d'imprimer en septembre 2008 par Groupe Krater en Slovénie
Dépôt légal : octobre 2008
N° d'Édition : M08128